Jean-Paul II

Le pape pèlerin

ÉDITIONS
TRUSTAR

Une division de TRUSTAR Ltée
2020, rue University, bureau 2000
Montréal (Québec) H3A 2A5

Directrice : Annie Tonneau
Rédaction : Éric Pier Spérandio et Corinne de Vailly
Mise en pages : Jean Yves Collette
Conception graphique de la couverture : Laurent Trudel
Photos des pages couverture : Ponopresse
Photos intérieures : Ponopresse, Keystone
Révision : Roger Magini
Correction : Camille Gagnon, Corinne de Vailly

Dépôt légal :
Bibliothèque nationale du Québec
et Bibliothèque nationale du Canada
ISBN 2-921714-01-9

JEAN-PAUL II

Le pape pèlerin

ÉDITIONS
TRUSTAR

DES MOTS D'ESPOIR

Le pape Jean-Paul II, dans toutes ses encycliques et ses homélies d'importance, est toujours apparu comme un tenant de la ligne « conservatrice », mais cela était peut-être dû au fait, avant que ne commence son pontificat, que le catholicisme et surtout la pratique de la religion avaient été victimes d'un certain recul.

Au moment de son élection à la papauté, Karol Wojtyla a su entendre la requête des chrétiens et des chrétiennes du monde entier selon laquelle le catholicisme romain devait reprendre la place qui était la sienne et qu'il avait peut-être cédée, un temps, à ce vent de changements qui balaya nos sociétés contemporaines. Ce catholicisme romain, sous l'inspiration de Jean-Paul II, cessa d'être tel un drapeau en berne pour flotter à nouveau en haut de son mât. Ce faisant, il était inéluctable que le Saint-Père réaffirmât haut et fort les valeurs et les principes qui ont animé et qui animent toujours – et qui doivent habiter – chaque chrétien et chaque chrétienne, n'en déplaise à celles et ceux qui refusent ce qu'ils qualifient d'inutiles limitations à leur liberté.

En ce sens, Jean-Paul II ne pouvait être étiqueté d'une manière conventionnelle comme libéral ou conservateur, ou de quelque autre couleur plus ou moins nuancée. Il n'a fait que répéter ce que l'Église a enseigné à travers les siècles, tout en présentant ses opinions personnelles sur les enseignements de l'Église. Ainsi, il l'a fait évoluer. Cependant, Jean-Paul II a été d'abord un pape qui a cru en la dignité de l'homme.

En guise de préambule, voici quelques réflexions, méditations et prises de position de cet homme qui fut l'un des plus écoutés sinon des plus admirés de son époque.

« *Ce que Dieu nous commande, et qui semble humainement impossible, il nous donne les moyens de l'accomplir.* »

« *La mission fondamentale de l'Église est de proclamer au monde la parole de la bonne nouvelle de la rédemption. En offrant aux autres cette bonne nouvelle, l'Église s'efforce de comprendre leur culture. Elle essaie de connaître les esprits et les cœurs de ceux qui l'écoutent, leurs valeurs et leurs coutumes, leurs problèmes et leurs difficultés, leurs espérances et leurs désirs. Et dès qu'elle connaît et comprend ces divers aspects* */

de la culture, elle peut ouvrir le dialogue du salut ; elle est à même d'offrir, avec respect, mais clairement et avec conviction, la bonne nouvelle de la rédemption à tous ceux qui désirent écouter et répondre librement. Voilà le défi évangélique de l'Église à toutes les époques. »

« Le cœur humain ne s'habitue pas à l'absence de Dieu. Il souffre de vivre éloigné de Dieu, comme les compatriotes de Moïse. Mais Dieu n'est jamais loin de chacun d'entre nous. Il est mystérieusement présent, comme le feu qu'on ne peut saisir, comme la brise légère qui passe, invisible. Il nous fait signe. Il nous appelle pour nous confier une mission. »

« Dans les temps que nous vivons, ce que nous voyons sur cette terre rend plus manifeste à nos yeux le péché que la sainteté. Il y a bien des raisons pour que, dans les divers pays et continents, nous voyions plus les malheurs qu'entraîne le péché que la lumière de la sainteté. Même si, au même moment, une tendance de plus en plus forte se fait jour pour que le péché ne soit plus appelé péché, il est cependant vrai que la famille humaine vit dans la peur de ce qui est suscité en définitive par l'intelligence et la volonté humaines contre la volonté du Créateur et du Rédempteur. Nous tous, ici, connaissons ces périls qui menacent notre planète, et nous y reconnaissons la part de l'homme. Et pourtant... Pourtant cette terre, le lieu où nous vivons, est la terre sainte. Elle a été marquée par la présence du Dieu vivant, dont la plénitude est dans le Christ. »

« *Le cœur de l'Évangile est l'annonce d'un Dieu vivant et proche, qui nous appelle à une communion profonde avec lui et qui nous ouvre à la ferme espérance de la vie éternelle ; c'est l'affirmation du lien inséparable qui existe entre la personne, sa vie et sa corporalité ; c'est la présentation de la vie humaine comme vie de relation, don de Dieu, fruit et signe de son amour ; c'est la proclamation du rapport extraordinaire de Jésus avec chaque homme qui permet de reconnaître en tout visage humain le visage du Christ ; c'est la manifestation du don total de soi comme devoir et comme lieu de réalisation totale de la liberté.* »

« *Toute vocation change nos projets, en ouvre un autre devant nous, et il est étonnant de voir à quel point Dieu nous aide intérieurement, comment Il nous accorde une nouvelle longueur d'onde, comment Il nous prépare à y entrer et à le faire nôtre en y voyant tout simplement la volonté du Père, et en l'acceptant.* »

« *L'Église est la communauté dans laquelle nous héritons des dons transmis aux Apôtres et communiqués jusqu'à nous sans interruption : l'Église une, sainte, catholique et apostolique. Elle est pour nous le lieu de la rencontre de Celui qui habite parmi nous : elle est le lieu du don reçu de Son Esprit et de Sa grâce, elle est le lieu où nous est donnée une règle de vie, elle est le lieu où tous sont appelés à partager, à rendre grâce, à rejoindre l'offrande eucharistique de la vie donnée par le Christ, à recevoir le don du pardon, à assurer la mission d'annoncer la vérité et de répandre l'amour.* »

« *Il importe de dire et redire que l'origine de la guerre se situe dans le cœur et l'esprit des femmes et des hommes de notre temps ; il importe de souligner sans relâche que la vraie paix existera seulement quand tous les êtres humains seront, de cœur et d'esprit, gagnés à la compassion, à la justice et à l'amour.* »

« *Là où un frère est utilisé comme moyen pour satisfaire des intérêts particuliers, des besoins et des désirs, là où le prochain est l'objet d'un abus, se commet la violence et naissent la discorde et la guerre. Mais là où l'on entend du bien du prochain, parce que c'est la seule créature que Dieu ait voulue pour lui-même, là où l'on aime vraiment, alors là naît la paix véritable.* »

OÙ L'AVENIR SE JOUE

Lorsque mourut Paul VI, le 6 août 1978, on s'attendait que le conclave mettrait un certain temps pour désigner un successeur au défunt. Mais il en fut tout autrement. Après seulement quatre tours de scrutin, les cent onze cardinaux réunis pour la circonstance accordaient quatre-vingt-dix voix au cardinal Luciani, patriarche de Venise, qui devenait ainsi le nouveau Saint-Père.

Alors qu'il avait vécu une trentaine d'années dans une relative obscurité, se plaisant en compagnie des humbles – en qui il voyait la véritable richesse de l'Église – il fut, presque du jour au lendemain, placé sous le feu des projecteurs, obligé de se soumettre à un apparat et à un cérémonial qui l'intimidaient : « Je ne suis qu'un pauvre homme, habitué aux petites choses et au silence », devait-il dire. Comme pour confirmer ce qu'il était vraiment, il rompit dès lors avec une certaine tradition : on le vit vêtu d'une simple soutane noire, on se surprit de le voir se promener à bicyclette, délaisser la *sedia gestatoria* pour aller à pied ; on l'entendit dire qu'il aimait écouter Vivaldi et que, à l'occasion, il goûtait un bon cigare et appréciait le bon vin. Cela lui valut rapidement le surnom de « pape du sourire ». Cependant, le 29 septembre suivant, son secrétaire particulier le trouva sans vie dans son lit, vraisemblablement surpris par la mort. On remarqua à ses côtés des documents laissés par Paul VI et dont on imagine qu'il prenait connaissance. Il n'avait régné que trente-trois jours.

On détermina aussitôt la date des obsèques et l'on convoqua à nouveau, à la hâte, tous les cardinaux pour la tenue d'un nouveau conclave. Alors que se déroulaient les obsèques du Saint-Père, qui suivent le deuil rituel de neuf jours, les préparatifs matériels pour ce nouveau conclave allaient bon train, car il y avait fort à faire : on aménageait la chapelle Sixtine comme le veut la tradition et, dans les appartements attenants, on voyait à l'installation des chambrettes qui allaient accueillir les cardinaux et les membres du personnel de service – et parmi ceux-là, il y avait aussi bien des confesseurs que des médecins, des barbiers, des cuisinières ou des femmes de chambre.

Qui sera l'élu ?

Le 15 octobre suivant le conclave débuta ; tous les participants furent dès lors coupés de tout contact avec l'extérieur, sans même une possibilité d'accès au téléphone ou à quelque autre moyen de communication. Mais y étaient aussi interdits les caméras, les magnétophones ou même de simples appareils de radio : ainsi, les délibérations demeureraient secrètes à jamais.

Il ne fallut guère de temps pour que soit choisi le successeur de Jean-Paul Ier ; le deuxième jour du conclave, le 16 octobre, en fin d'après-midi, après seulement huit tours de scrutin s'élevaient déjà les volutes de fumée blanche qui annonçaient l'élection du nouveau pape. Les cent mille personnes réunies place Saint-Pierre, dans l'attente de cette annonce, laissèrent aussitôt éclater leur contentement par des murmures approbateurs et un tonnerre d'applaudissements.

Tandis que les rumeurs au sujet de l'identité du nouvel élu se répandaient déjà, le cardinal Wojtyla, lui, vivait de grands moments d'interrogation, d'angoisse aussi, car s'il venait d'apprendre qu'un nombre suffisant de cardinaux s'étaient prononcés en sa faveur, il lui restait à prendre la décision ultime : accepter ou refuser cette nomination. Il ne devait que faire connaître le nom par lequel il entendait être désigné pour signifier son acceptation. La décision fut cependant difficile à prendre. Son comportement sembla même indiquer qu'il refuserait cet honneur, mais l'un de ses aînés de l'Église polonaise eut tôt fait de s'entretenir avec lui. Quelques larmes coulèrent même sur ses joues pendant les quelques instants de réflexion qu'il s'accorda encore avant de donner sa réponse en latin, de même que le nom qu'il comptait prendre : Jean-Paul II, à cause du respect et de la dévotion qu'il avait eus envers le pape Jean-Paul Ier, ainsi que pour la force et l'inspiration qu'il avait puisées auprès de Paul VI.

La surprise

À l'extérieur, la foule continuait de s'impatienter, mais lorsqu'apparut finalement le cardinal Felici – qui faisait office de maître de cérémonie – pour révéler au monde entier l'identité du nouveau pape, un silence complet tomba alors place Saint-Pierre. L'annonce du nom du cardinal élu et de celui de Jean-Paul II, qu'il avait choisi d'utiliser désormais, sema l'étonnement et la stupéfaction. La foule s'attendait à l'élection d'un pape italien mais, contre toute attente, les cardinaux avaient choisi un cardinal venu d'ailleurs, et qui plus est d'un ailleurs communiste. Ils rompaient ainsi avec une tradition vieille de 456 ans – le dernier pape non italien à avoir été élu fut Adrien VI, un Hollandais qui fut pape durant vingt mois. Revenue de sa surprise, la foule applaudit néanmoins chaleureusement, avant que le nouveau pape, à l'encontre de la tradition, ne prononce une courte allocution et donne sa bénédiction, en italien.

Les médias occidentaux ne prirent guère de temps avant de réagir, même s'ils avaient été, eux aussi, parmi les premiers surpris. Partout, les commentaires étaient unanimes à souligner l'élection de ce pape qui se révélait pleine de promesses. Un préjugé favorable lui était accordé. Et déjà les nombreuses manchettes qu'il s'attirait en firent, en quelque sorte, une *superstar*.

Mais c'est en Pologne que les réactions furent les plus fortes : c'était le délire. On fit sonner les cloches de toutes les églises en l'honneur de cet enfant du pays devenu pape ; les fidèles envahirent les rues en chantant et, dans les villes de Cracovie et Wadowice, on se rassembla autour des lieux qu'avait fréquentés Karol Wojtyla devenu Jean-Paul II. La liesse était si spontanée et si grande que les autorités politiques ne purent faire autrement que de se joindre à ce concert de félicitations et d'hommages. On fit parvenir un télégramme au nouveau pape et on leva aussitôt les restrictions pour certains voyages à l'étranger – ce qui, dans les faits, allait permettre à quelques milliers de Polonais de se rendre à Rome pour l'intronisation du Saint-Père.

Une intronisation plutôt qu'un couronnement

Tout comme son prédécesseur, Jean-Paul Ier, Karol Wojtyla refusa la cérémonie de couronnement. En choisissant ainsi d'être simplement intronisé, il reléguait dans l'ombre l'aspect cérémoniel, voire théâtral, de la papauté, les ors et les couronnes, tout comme les chasubles et les mules rouges ; la messe pontificale au cours de laquelle il fut intronisé eut lieu le matin du 22 octobre et une foule de près de trois cent mille personnes y assista, tandis que plusieurs millions de fidèles observaient la cérémonie, télédiffusée dans le monde entier.

On devinait déjà que l'Église subirait de nouvelles transformations ; chacun pressentait qu'un nouveau souffle lui serait apporté par ce pape différent. Voilà ce que sept cents millions de catholiques espéraient déjà en ce jour.

LOLEK, L'ENFANT VIVANT

L'indépendance de la Pologne, après cent cinquante ans de domination étrangère, fut proclamée le 11 décembre 1918, après que les canons de la Première Guerre mondiale se furent tus. Karol Wojtyla naîtra quelque dix-huit mois plus tard, le 18 mai 1920, à Wadowice, près de Cracovie ; deuxième garçon de la famille – il avait un frère aîné prénommé Edmond – il devint l'un de ceux qui formeront cette nouvelle génération libérée de la main de fer de l'oppresseur autrichien. Guidée par ses aînés, qui renforçaient leur liberté retrouvée par un désir d'affirmation qui se reflétait à la fois par la puissance militaire et le désir de développement économique, la Pologne mit tous ses espoirs en l'avenir et en ses jeunes. Pour l'aider à surmonter toutes les embûches qu'elle prévoyait rencontrer sur sa route, elle gardait, plus vivante que jamais, sa foi en Dieu et, surtout, dans la Vierge Marie. Elle n'oubliait pas que la foi lui avait permis de survivre aux heures les plus sombres de l'oppression.

Maciej, le grand-père paternel de Karol s'était installé à Czaniec, où il exerçait le métier de tailleur. Le père du jeune garçon, également prénommé Karol, se maria à Wadowice à une jeune fille, Emilia Kaczorowska, et s'installa dans cette ville, coupant une à une les attaches qui le retenaient à sa ville natale. La petite famille s'adapta fort bien à la vie de Wadowice, une ville située à environ cinquante kilomètres de Cracovie et qui comptait alors un peu moins de vingt mille habitants. Le père servit dans un régiment d'infanterie comme officier d'état-major, sous le drapeau autrichien, avant l'avènement de l'indépendance polonaise, puis il devint capitaine lorsque la nouvelle armée polonaise fut formée.

Cependant, quand il quitta les armes, il bénéficia d'une pension si maigre qu'elle suffisait à peine à assurer le quotidien. Bien que sa femme Emilia ait été de santé fragile – elle souffrait d'une maladie chronique des reins – elle aidait son mari du mieux qu'elle pouvait et se faisait un devoir de promener chaque jour son enfant dans un parc voisin.

Une enfance difficile

Ces quelques lignes résument bien l'enfance du jeune Karol Wojtyla, qu'on avait déjà surnommé affectueusement Lolek. Une enfance difficile, tant à cause de la situation financière fragile de sa famille, que de la santé précaire de sa mère.

À neuf ans, alors qu'il était encore à l'école primaire, Emilia Kaczorowska mourut en donnant naissance à une petite fille mort-née. Le décès de celle dont il avait été si proche, et dont il avait hérité du caractère comme des traits physiques, qui lui avait appris l'allemand dès son plus jeune âge, laissa un si grand vide dans la vie du jeune garçon qu'il en resta longtemps affecté.

Quatre ans plus tard, son frère aîné mourait à son tour, victime de la scarlatine. Karol avait treize ans. Les années qui suivront, il les vivra en la seule compagnie de son père, un homme animé d'une force intérieure inébranlable, profondément humain, chaleureux, mais aussi habitué à la discipline, qu'il tenait de sa carrière militaire et qu'il cherchait à enseigner à son fils. Il exigea ainsi de son fils droiture, persévérance, mais aussi obéissance. Le jeune Lolek accepta bien cette discipline ; son père l'assumait lui-même, car il tenait la maison, s'occupait des tâches ménagères, préparait les repas, voyait au fonctionnement quotidien de la petite maisonnée. C'est lui aussi qui le poussa à poursuivre ses études.

L'homme et le jeune garçon étaient plus que père et fils : ils étaient devenus des complices et s'épaulaient l'un l'autre.

L'ami chaleureux, l'élève parfait

Karol avait un goût inné pour l'étude et ce goût, allié à la discipline que son père lui avait inculquée, fut tel qu'on ne se surprit pas de la qualité de son travail scolaire. Le jeune garçon excellait en éducation religieuse, aux cours d'introduction à la philosophie, de même qu'en latin et en allemand. Ses bulletins étaient toujours parmi ceux qui avaient les meilleures notes. Dans toutes ces disciplines, il décrochait des « très bien ». Dans les autres matières, l'histoire, la physique et la chimie notamment, il décrochait des « bien ». Mais si ses professeurs l'admiraient, c'était plus à cause de ses dons intellectuels et de son ouverture d'esprit que de ses notes.

Si Karol se distinguait dans ces matières, c'est qu'il étudiait sans compter les heures. De plus, animé d'une curiosité naturelle, il s'intéressait à tous les sujets et se mêlait à toutes les conversations auxquelles on l'invitait. Il était de ceux dont on recherchait la compagnie. Il était devenu un jeune homme plutôt grand, corpulent, très vivant, d'un naturel affable et de commerce agréable. S'il était populaire auprès des jeunes filles – il en fréquentera une de façon assidue – il l'était tout autant auprès des autres garçons parmi lesquels il faisait figure de *leader,* parce qu'il était également un sportif accompli. Il pratiquait le ski, aimait le patin à glace et les longues marches dans la nature, sans oublier la natation... Cependant, plus que tout, il avait une passion pour le soccer qu'il pratiquait durant de longues heures.

En 1938, âgé de dix-huit ans, il réussit avec grand succès ses examens du baccalauréat. Cet événement obligea le père et le fils à déménager dans un quartier populaire de Cracovie, pour être plus près de l'université que le jeune Karol allait devoir fréquenter. Malgré le départ de Wadowice, jamais

Karol Wojtyla n'oublia cette ville ni les gens qu'il y avait connus, s'efforçant de garder vivantes, année après année, ses relations.

La vie à l'université

Le déménagement ne fut pas facile. Si le logement de Wadowice avait été confortable, on ne pouvait en dire autant de celui dont ils prenaient possession et qui était tout, excepté... agréable. D'ailleurs, les gens du quartier avaient surnommé la rue où était situé leur domicile, les « catacombes de Debniki ». C'était tout dire. Mais le père et le fils allaient rapidement s'y habituer. Pour l'heure, le jeune Karol avait plus intéressant à penser : pendant les vacances scolaires, il se fit embaucher pour participer à la construction de routes. Même si son emploi se résumait à de simples tâches manuelles, l'expérience lui plut et l'été s'écoula rapidement.

Bientôt, ce fut la rentrée scolaire. Karol Wojtyla s'inscrivit à l'université de Cracovie où il suivit des cours de philosophie qui, espérait-il, pourraient lui permettre de décrocher un certificat d'études en langue polonaise. Cette nouvelle vie passionnait Karol. Si les débats, les conférences et les séminaires retenaient son attention, il ne lui fallut guère de temps pour découvrir que l'université lui offrait des possibilités qu'il n'avait jamais imaginées et dont il comptait bien profiter. Il s'inscrivit aussi à des cours d'élocution ; il commença à participer à des récitals ; il alla même jusqu'à s'inscrire à la Société de la langue polonaise.

Le jeune homme s'intéressa aussi au théâtre, mais comme il n'y avait pas de studio d'art dramatique dans la Cracovie d'alors, il mit de l'avant la création d'une « Fraternité théâtrale ». Au début, on s'intéressait plus à la théorie, mais on ne tarda pas à toucher à la pratique. On choisit une pièce et, sans tergiverser, on la monta. Karol y tint le rôle principal. Cette activité avait avivé le goût des jeunes ; aussi, on envisagea rapidement d'organiser d'autres événements... Toujours, Wojtyla brillait.

Même s'il était actif, Karol Wojtyla ne côtoyait guère les autres étudiants durant ses activités universitaires et para-universitaires. Généralement considéré comme un solitaire, il évitait les rencontres purement sociales et n'accompagnait pas ses amis lorsque ceux-ci sortaient en groupe avec des filles. Il préférait l'action... et la solitude. En cela, il se démarquait de ses condisciples.

Au début de l'été 1939, arriva la fin de l'année universitaire et la session d'examens que Karol Wojtyla réussit avec brio.

Les cours terminés, tous les étudiants furent dans l'obligation d'accomplir une période d'entraînement militaire dans ce que l'on appelait la Légion universitaire. Wojtyla y fut contraint jusqu'au milieu du mois d'août et participa à toutes les manœuvres d'entraînement avec ses camarades. À la fin de cette période d'entraînement, les étudiants repartirent chez eux avec le désir manifeste de profiter de la vingtaine de jours de vacances qu'il leur restait avant la rentrée universitaire.

Cependant, en dépit de ce que l'on avait voulu croire, la Pologne devint la cible des bombardements allemands dès le premier jour de septembre. Ces bombardements avaient comme objectif de semer la peur et le désordre dans les principales villes du pays. Cracovie n'y échappa pas. La rentrée scolaire et universitaire fut retardée. Durant les semaines qui suivirent, la situation alla de mal en pis, jusqu'à ce que les Allemands envahissent le pays, ferment les universités et emprisonnent ou déportent la majorité du corps professoral. Pour Karol Wojtyla, les études semblaient terminées pour un bon moment...

Les universités clandestines

Après la vague d'arrestations et de déportations, ceux qui y avaient échappé se regroupèrent et installèrent des organisations clandestines pour répondre au besoin qui existait en matière d'éducation. Des consignes furent transmises et, en peu de temps, des enseignants purent donner leurs cours à des étudiants tout aussi clandestins.

Au fil des semaines, la structure universitaire se remit à fonctionner comme avant la guerre. Karol Wojtyla suivit donc ses cours de deuxième année de philologie. En même temps, il dut trouver un travail : il devait bien entendu veiller à sa subsistance et à celle de son père mais, en plus, il devait absolument posséder une carte de travail afin d'éviter la déportation vers un camp de travail en Allemagne. Il accepta donc un poste d'ouvrier dans une carrière

qui lui fut offert grâce aux relations d'un ami. Tous
les matins, en compagnie de cet ami, à pied, pau-
vrement vêtus, sac de travail à la main, ils prenaient
la route de la carrière où toute la journée ils cas-
saient des pierres, remplissaient des brouettes qu'ils
déchargeaient un peu plus loin avant de reprendre
ce ballet infernal dix fois, cent fois, souvent par des
froids intolérables.

Malgré ce travail éreintant, Karol Wojtyla
continuait de passer ses soirées à étudier. Il poussa
sa résistance tellement loin qu'il ne se rendit pas
compte des efforts qui sollicitaient son organisme.
Un jour, l'inévitable arriva : il s'écroula dans la rue,
vidé de ses forces. Comble de malheur, un camion
allemand le heurta au moment de sa chute et...
poursuivit son chemin. Après tout, il n'était qu'un
Polonais ! On ne le découvrit qu'une dizaine d'heures plus tard. Lorsqu'il fut transporté à l'hôpital,
on diagnostiqua une fracture du crâne. Il resta
quelques semaines en convalescence avant de reprendre ses activités.

Karol écrivait toujours des poèmes. Il en publia quelques-uns dans un hebdomadaire catholique et dans un mensuel dirigé par des intellectuels
qui, malgré la guerre, continuaient d'être publiés.
C'est à cette période qu'il fonda, en compagnie d'un
ami, le Théâtre clandestin de Cracovie, où les lec-
tures cédèrent rapidement le pas à de véritables
représentations. Karol Wojtyla s'aventura également dans l'écriture dramatique et publia une
pièce, *Devant la boutique d'un joaillier,* dans un

mensuel catholique de Cracovie. La pièce fut réé-
ditée depuis sous le titre *La Boutique de l'orfèvre*.

Malgré toutes ces activités, qui auraient suffi
à en occuper plus d'un, il n'en délaissa pas pour
autant son travail quotidien. Pendant l'hiver 1941-
1942, il entra au service d'une usine de purifica-
tion des eaux située en banlieue de Cracovie.

Comme si tout cela ne suffisait pas, et que ses
études et le théâtre n'étaient pas assez dangereux,
Karol Wojtyla s'engagea dans une autre cause : celle
de faire sortir les Juifs du pays : il les fit sortir des
ghettos, leur donna des contacts, leur fournit de
nouveaux papiers, leur procura des cachettes sûres
et leur indiqua la filière à suivre pour fuir le pays.
Ce faisant, chaque jour il risquait sa vie. Et s'il ne
se fit pas prendre, cela n'empêcha pas les nazis de
l'inscrire sur une liste de gens qu'ils tenaient à l'œil.

Il prenait soin aussi de son père dont l'état de
santé se détériorait. Au début de 1941, ce dernier
fut forcé de garder le lit à la suite d'un accident
cardiaque. Un jour, au début du printemps, alors
qu'il venait d'aller chercher des médicaments, il le
trouva mort dans son lit, terrassé par une attaque.
Karol Wojtyla ressentit une douleur qu'il n'avait jamais imaginée ; il passa la journée et la nuit agenouillé
auprès du corps inerte de son père, avec la prière pour
seule arme contre le désespoir qui l'avait envahi.

L'homme qui avait été son modèle en tout,
n'était plus : Karol Wojtyla était maintenant seul et
vivait un véritable déchirement qui allait le marquer à jamais.

Peu de temps après ce drame, il s'inscrivit à des cours, toujours clandestins, de théologie. Sa vie prit alors une voie différente.

LA FUTILITÉ
DU MATÉRIEL

Tout en continuant à travailler pendant le jour à l'usine d'épuration des eaux, Karol Wojtyla commença donc à suivre le soir ses cours de théologie au séminaire clandestin et les poursuivit pendant près de deux ans. Après être demeuré seul pendant tout ce temps dans un petit logement à la limite de la misère, Wojtyla et les autres jeunes hommes – qui, comme lui, allaient aux cours de théologie – furent invités à résider au palais épiscopal où on leur fit revêtir la soutane noire des séminaristes, pour les protéger contre d'éventuelles représailles des Allemands, qui sentaient maintenant le vent tourner. Dorénavant, ces jeunes élèves en théologie pouvaient se livrer à leurs études en toute quiétude et profiter ainsi d'une meilleure atmosphère pour se préparer à la prêtrise.

Si tous partageaient un vaste salon du palais, transformé pour les besoins de la cause en dortoir, Karol Wojtyla y resta peu de temps puisqu'il se vit offrir par l'archevêque de Cracovie une petite chambre dans l'une de ces maisons appartenant au domaine épiscopal et où les Allemands n'osaient pas mettre le pied.

Cependant, loin de délaisser toute autre tâche, Karol Wojtyla participait à de nombreuses activités, dont, entre autres, la distribution de journaux imprimés par la résistance et la poursuite de ses efforts en vue de secourir les nombreux Juifs victimes de harcèlement.

Le début de 1945 marqua la fin de la guerre en Pologne, une guerre qui avait profondément transformé les hommes et le peuple polonais. À Cracovie, la situation n'était pas aussi sombre qu'à Varsovie, par exemple, où la ville avait été mise à feu et à sang. Mais, là comme ailleurs, il fallait penser aux lendemains. Les séminaristes n'échappèrent pas à la règle : ils s'attelèrent si bien à la tâche qu'en moins d'un an une aile de l'ancien séminaire fut complètement restaurée, et les étudiants en théologie purent s'y installer.

Comme la guerre était maintenant terminée et que la vie reprenait son cours normal, Karol Wojtyla entra en troisième année de théologie. En même temps, il publiait sous le couvert de l'anonymat des poèmes écrits au cours des dernières années.

Le 2 novembre 1946, il fut finalement ordonné prêtre. Ses trois premières messes, célébrées la même journée – qui était aussi le Jour des morts – furent dédiées à ses parents et à son frère décédés. Le lendemain, il en célébra une pour les amis de son ancien quartier, où avait existé une solidarité qu'il n'oublierait jamais.

Un premier voyage à l'étranger

À peine ordonné prêtre, l'archevêque de Cracovie lui offrit d'aller à Rome poursuivre ses études, proposition que le jeune homme s'empressa d'accepter. Quelques semaines plus tard, après que l'archevêque lui eut trouvé un logement, en l'occurrence au Collège belge, Wojtyla prit le chemin de la cité du Vatican où il entama deux années d'études à l'université pontificale *Angelicum*.

S'il étudiait avec application et patience, et si ses dons intellectuels lui permettaient bien souvent de se distinguer de ses condisciples, il affichait cependant une humilité qui laissait à penser qu'il ne se doutait même pas de l'admiration qu'il suscitait. Toutefois, outre ses études, l'abbé Wojtyla n'en continua pas moins de s'intéresser à la littérature et particulièrement à la poésie. Il lui arriva même de réciter, à quelques compagnons, des poèmes qu'il avait écrits. Cependant, il était rare qu'il acceptât qu'on lût ses œuvres.

Ce séjour au Collège belge eut un autre effet bénéfique : il put non seulement apprendre la langue française, mais en acquit aussi une grande maîtrise. Il profita de quelques voyages en France et en Belgique, notamment avec un prêtre belge, secrétaire de la Jeunesse ouvrière chrétienne, une organisation née à la fin de la guerre et dont l'un des principaux objectifs était de faire reconnaître la dignité des jeunes travailleurs.

Les deux années qu'il vécut à Rome s'écoulèrent rapidement. Wojtyla s'engagea dans tout ce qui l'intéressait et, une fois engagé, il s'y consacra corps et âme. Ses méditations, ses observations et réflexions le stimulaient toujours davantage et le poussaient à un approfondissement plus grand encore.

L'abbé Karol Wojtyla fut diplômé en 1947 ; ses résultats illustraient l'intérêt qu'il portait à ses études : il obtint une note parfaite de cinquante sur cinquante à ses examens et sa thèse de doctorat mérita un neuf sur dix. Karol Wojtyla reçut également cinquante sur cinquante pour la défense de sa thèse. Des notes remarquables et méritoires. Le 30 avril 1948, il obtint finalement son doctorat en théologie.

C'est en 1948 également, à l'automne, que Karol Wojtyla revint en Pologne, une Pologne dont le visage avait été profondément modifié depuis la fin de la guerre. Maintenant sous l'influence du Parti communiste de l'URSS et de la main de fer de Staline, la vie quotidienne était à peine moins terrible et moins difficile qu'au temps de la domination allemande : les autorités pouvaient se livrer n'importe quand à des représailles et personne n'était à l'abri.

Un premier ministère

C'est dans ce climat tourmenté que l'abbé Wojtyla prit possession de son premier ministère. Il fut nommé curé du village de Niegowic, situé à trois heures de route de Cracovie. Si les prêtres gardaient habituellement leur premier ministère religieux pendant trois ans avant de recevoir une nouvelle affectation, il devint rapidement évident aux paroissiens de Niegowic que le leur avait une personnalité trop exceptionnelle pour qu'on l'y laisse autant de temps. Effectivement, il n'y demeura qu'une année – il ne lui avait toutefois fallu guère plus de temps pour y laisser son empreinte : à son arrivée dans la paroisse, les fidèles cherchaient une façon d'en marquer dignement le cinquantième anniversaire ; chacun y allait de ses suggestions, qui de reconstruire le clocher, qui de repeindre la palissade. L'abbé Wojtyla suggéra carrément de bâtir une nouvelle église ! Si le curé de la paroisse parvenait par mille moyens à faire ériger une nouvelle église, ou à distribuer aux pauvres l'argent que les familles riches lui donnaient pour les besoins de l'église, s'il acceptait les cadeaux qu'on lui offrait avant de les redonner aussitôt à plus démuni que lui, Karol Wojtyla ne possédait vraiment rien et n'en ressentait pas non plus la nécessité.

À cause de sa personnalité dont on parlait de plus en plus, à cause aussi de cette église qu'il avait réussi à faire construire, une année s'était à peine écoulée quand on lui confia une nouvelle paroisse, celle de Saint-Florian, à Cracovie même. Une nouvelle existence commença pour le jeune curé. Si l'importance de la tâche était plus grande, lui-même ne changeait pas vraiment : il restait toujours détaché des possessions matérielles, aucunement attiré par l'accumulation de biens ou de richesses. Le strict minimum lui suffisait. Personne ne sut jamais s'il avait fait vœu de pauvreté, comme Jean XXIII, un pape qu'il admira profondément, cependant il vécut toute sa vie comme si tel avait été le cas. On raconta même qu'à son arrivée dans cette paroisse de Saint-Florian, un visiteur l'avait trouvé en train de dormir à même le sol.

Visiblement, la richesse et le confort matériel l'indifféraient ; d'ailleurs, son indifférence allait jusqu'à son habillement : même les équipements sportifs le laissaient froid. Lui qui aimait pourtant la pratique des sports se satisfaisait de peu, sans jamais exprimer un mot ou une phrase qui aurait pu laisser deviner une insatisfaction ou un agacement face à la qualité du matériel.

Depuis qu'il s'était installé à la tête de la paroisse de Saint-Florian, l'une de ses tantes l'aidait quotidiennement à tenir sa maison ; soignée de nature, elle tentait tant bien que mal de faire régner l'ordre dans la maison du curé... ce qui n'était pas toujours facile, puisque Wojtyla se désintéressait totalement de la question, tout en sachant toujours exactement où trouver ce dont il avait besoin. Malgré cela, sa tante ne pouvait s'empêcher de lui faire des remontrances, sur un ton respectueux, il va sans dire ; Karol Wojtyla l'écoutait sans mot dire et tentait même pendant quelques heures ou quelques jours de s'astreindre à un ordre plus rigoureux – en vain.

Néanmoins, son existence auprès de ses fidèles était, elle, des plus organisées. Ses années de théâtre, les cours d'élocution suivis des années plus tôt à l'université, tout contribuait à captiver l'attention de ses paroissiens. Mais si tous goûtaient ses prêches, d'autres lui reprochaient la longueur de ses sermons. Toutefois, on retenait surtout que le prêtre mettait en pratique ce qu'il disait. Le curé réunit également de nombreux jeunes qui fréquentaient l'église ; il leur enseigna ce qu'il jugeait être les vérités fondamentales. Ses méthodes d'enseignement n'étaient pas des plus orthodoxes, mais elles étaient couronnées de succès. Les jeunes aimaient et admiraient ce prêtre qui se distinguait de l'image traditionnelle qu'ils en avaient.

À la recherche de la vérité

Karol Wojtyla demeura à la tête de la paroisse de Saint-Florian jusqu'en 1951. Puis, sur les conseils d'un de ses anciens professeurs, il décida de se remettre aux études et demanda une année de congé ; seule condition : il lui fallait demeurer chez son professeur. Cette année sabbatique prit fin en 1952, mais Wojtyla continua néanmoins d'étudier jusqu'en 1958. Il commença par présenter sa thèse en théologie en 1953 ; celle-ci fut examinée et approuvée au cours des premiers mois de 1954, quelques semaines seulement avant que les autorités communistes ne décident de fermer le département de théologie de l'université. La thèse de Karol Wojtyla ne fut publiée que soixante-douze mois plus tard par l'université catholique de Lublin. Mais la soutenance et l'acceptation de sa thèse l'autorisèrent à poser sa candidature pour des postes qu'offraient certaines universités européennes. Déjà, en octobre 1953, alors qu'il avait retrouvé sa paroisse, il avait prononcé quelques conférences au séminaire théologique de Cracovie. Il revit alors les heureux moments passés dans cette institution. Son sens de l'observation et de la réflexion, sa grande acuité intellectuelle et sa personnalité attachante donnèrent à ses conférences une résonance au-delà de l'archevêché même de Cracovie.

L'université catholique de Lublin, dont le recteur avait été renseigné sur le jeune prêtre, manifesta très tôt son intérêt pour Wojtyla. Dès 1953, on lui proposa de donner quelques conférences à l'université. Il impressionna autant les professeurs grâce à ses qualités intellectuelles, qu'il passionna les étudiants par la forme de ses exposés et, dès l'année suivante, ses conférences devinrent régulières. Quelques mois plus tard, l'université lui offrit une chaire de morale. À trente-six ans, le jeune prêtre avait acquis un statut de professeur et le poste enviable de directeur de l'Institut de morale de Lublin.

Malgré ses tâches et ses engagements toujours plus nombreux, Wojtyla n'avait pas renoncé à sa paroisse de Cracovie où, tout en continuant de diriger ses ouailles, il ne cessa pas d'organiser des activités pour les étudiants de l'université de cette ville. Mais les trois cents kilomètres qui séparaient Cracovie de Lublin, même effectués la nuit – afin qu'il profitât de quelques heures de sommeil – le fatiguaient et son entourage n'était pas sans s'en apercevoir. En dépit de cela, Karol Wojtyla ne parvenait pas à mettre un terme à l'une ou l'autre de ses activités.

À Lublin, le jeune prêtre profita de l'auréole de celui qui vient d'ailleurs ; si l'université n'avait rien à envier à ses semblables européennes, la ville même de Lublin était tranquille et provinciale. Les expériences théâtrales de Wojtyla eurent tôt fait d'intriguer et d'emballer non seulement ses élèves, mais aussi les autres professeurs. Manifestement progressiste, Karol Wojtyla était un professeur et un homme ouvert, au franc-parler, avec lequel il était toujours passionnant de discuter. S'il présentait ses opinions avec détermination et conviction, il était par-dessus tout à la recherche de « la » vérité, ce qui en faisait un interlocuteur intéressant, à l'écoute, capable de faire fi des préjugés et des idées reçues. Il le prouva d'ailleurs par ses agissements. Au sein du corps professoral, par exemple, les enseignants religieux et laïcs se fréquentaient peu ; pour sa part, non seulement Wojtyla fréquentait les laïcs, mais il évitait même les autres prêtres ! Ses meilleurs amis étaient des laïcs. Un prêtre bien bizarre, en réalité, que ce Wojtyla...

MONSEIGNEUR WOJTYLA, UN *LEADER* AUDACIEUX

Karol Wojtyla suscitait l'attention et les commentaires favorables. Même si son intérêt personnel correspondait à son désir d'engagement dans la communauté, il ne cherchait jamais à s'attirer de quelconques louanges ; d'ailleurs, la plupart du temps, il ne percevait pas la portée de celles qui lui étaient adressées.

Néanmoins, les commentaires favorables dont il était l'objet trouvèrent écho au Vatican. Sa Sainteté Pie XII décida de le nommer évêque auxiliaire de Cracovie, le 4 juillet 1958. Wojtyla apprit cette nomination de façon bien étrange. Le bureau du primat de Pologne avait tenté de le joindre pour lui annoncer la nouvelle (bien plus tard on le rejoignit à Varsovie, où il était parti faire une excursion en kayak, sport qu'il aimait pratiquer). Après qu'on lui eut communiqué la nouvelle de sa nomination par téléphone et demandé s'il acceptait, en prenant soin de mentionner que Sa Sainteté n'aimait pas essuyer de refus, il accepta, raccrocha le combiné téléphonique et repartit sur les lacs des environs de Varsovie se livrer de nouveau à la pratique du kayak !

À la fin de septembre 1958, Karol Wojtyla fut consacré évêque à la cathédrale du château Wawel, à Cracovie, et devint officiellement évêque auxiliaire de Cracovie. Une quinzaine de membres de sa famille assistaient à la cérémonie, de même que quelques amis, quelques professeurs et quelques étudiants. Le cérémonial fut simple et bref : monseigneur Wojtyla regagna aussitôt son église de Saint-Florian. Toutefois, à partir de cette époque, il vécut au palais épiscopal de Cracovie mais ne modifia pas son style de vie qui resta, comme lui-même, le plus simple du monde.

Cet appartement qu'il occupait, il ne le quitta qu'en 1978, quand il partit pour Rome. Encore aujourd'hui, il est tel qu'il l'a laissé à ce moment-là : un appartement de trois pièces dont la vue plonge sur le parc qui entoure la vieille ville – une minuscule entrée, un vaste cabinet de travail et une chambre toute petite, meublée d'un lit recouvert d'un édredon élimé, d'un bureau au vernis écaillé et d'une table de nuit. Cependant, ce fut plus qu'une nouvelle vie que provoqua cette nomination. À compter de ce jour de septembre 1958, l'existence de Karol Wojtyla marquait un nouveau virage. Le règne de monseigneur Wojtyla à Cracovie commençait vraiment et allait donner un élan important à l'Église de Cracovie, si important qu'il influera plus tard sur le cours des événements.

Monseigneur Wojtyla continua de mener la vie disciplinée qu'il avait choisie. Tous les matins il se levait à cinq ou six heures, célébrait une messe environ une heure plus tard, et prenait ensuite un solide petit déjeuner, bien souvent composé d'œufs brouillés et d'un peu de fromage, ou encore de nouilles et de lait. Pour tout dire, il n'attachait aucune importance à ce qu'il mangeait : sa nourriture devait simplement suffire à ses dépenses d'énergie !

Ses journées étaient longues et bien remplies – jusqu'à quinze ou dix-huit heures. Il faisait même plusieurs choses à la fois. Par exemple, s'il recevait quelqu'un, il lui arrivait de continuer de lire ou d'écrire tout en conduisant la conversation, et pas une seule phrase de son visiteur ne lui échappait ! Il n'arrêtait jamais, pas un instant. Même en voiture – qu'il ne conduisait pas, jugeant que c'était perdre son temps ! – il avait toujours une pile de documents à portée de la main. Pour être plus à l'aise, il s'était d'ailleurs fait installer un panneau de bois qui se rabattait, se transformant ainsi en une table de travail, ainsi qu'une lampe pour la lecture, lorsqu'il voyageait de nuit. Quand on lui demandait pourquoi il cherchait à gagner tant de temps, pourquoi il était si pressé, il ne répondait jamais : il se contentait d'esquisser un sourire chaleureux mais plein de mystère.

Toujours quelque chose à faire !

Ses journées étaient ainsi planifiées à la minute près ; et quand son agenda n'indiquait aucun rendez-vous, il se plongeait dans la lecture ou s'enfermait dans sa chapelle pendant de longs moments. C'est aussi parce qu'il les considérait comme futiles, et comme une source de perte de temps, qu'il ne possédait ni poste de radio ni téléviseur. Mais il trouvait toujours le temps pour voir et recevoir ceux qui sollicitaient une entrevue.

Personne ne fut vraiment surpris, à la mort de monseigneur Baziak, administrateur apostolique de Cracovie, quand on l'invita à le remplacer. Quatre ans plus tard, le 18 janvier 1964, Sa Sainteté Paul VI le nomma archevêque métropolitain. Les problèmes que monseigneur Wojtyla avait eus avec la curie métropolitaine de Cracovie (depuis qu'il avait été nommé évêque) ne manquèrent pas de s'accentuer.

Cette curie s'était toujours considérée comme privilégiée et indépendante alors que Wojtyla, d'origine ouvrière, côtoyait aisément une bourgeoisie qui lui facilitait des contacts et des relations que la curie n'avait pas. D'autres jalousaient aussi sa rapide ascension ; Karol Wojtyla eut alors à déployer tous ses talents pour faire reconnaître son autorité. Il avait l'intention d'instaurer une façon de faire nouvelle et audacieuse dans son diocèse – et il y parvint finalement, sans trop d'écueils ; sa personnalité et son charisme lui suffirent pour insuffler sa nouvelle « voie» à l'archevêché.

Même s'il ne fit rien pour créer une distance entre lui et son entourage immédiat, cet espace s'imposa de lui-même, pour ceux qui étaient sous son autorité. Néanmoins, ses collaborateurs et même la curie qui l'avait observé avant de véritablement s'engager derrière lui, s'avouèrent impressionnés par la personnalité de l'archevêque Wojtyla, sa spiritualité profonde, audacieuse certes, mais aussi généreuse. D'autant plus que, comme premier responsable de son diocèse, il laissait à chacun toute sa liberté pour exprimer son point de vue ; toutefois, s'il ne partageait pas les avis dont on lui faisait part, il écoutait cependant avec intérêt son interlocuteur. En d'autres mots, le dialogue était toujours possible et il n'était pas rare que monseigneur Wojtyla modifiât son point de vue lorsque ses idées différaient de celles de la majorité.

Un homme simple et accessible
Les séminaristes lui étaient particulièrement attachés car il les écoutait et n'hésitait pas à partager avec eux, sans jamais s'emporter ou les rabrouer ; quand ils devenaient prêtres, il continuait de veiller sur eux, soit en organisant des rencontres, soit en leur affectant des paroisses où ils pouvaient profiter du conseil des aînés. De plus, dès qu'il remarquait chez les uns ou les autres certaines prédispositions, il s'efforçait qu'elles fussent mises en valeur. Il effectuait ses nominations en ne tenant compte que de la compétence, jamais de l'âge. De cette façon, sans qu'il n'en parût jamais véritablement, il exerça une influence

déterminante sur ces séminaristes et les jeunes prêtres ; aussi, même s'ils en venaient à quitter le diocèse de Cracovie, ils gardaient toujours en mémoire
l'exemple de cet homme qui ne craignait pas le véritable engagement et qui misait sans cesse sur cette
force montante qu'ils représentaient au sein de
l'Église. Sous son influence protectrice, grandit donc
ce nouveau clergé. Des hommes jeunes, dynamiques,
qui avaient les yeux et le cœur tournés vers l'avenir –
parmi eux ne manqueraient pas de sortir, non plus,
ceux qui demain prendraient en charge l'Église polonaise.

L'ascendant de Karol Wojtyla sur son diocèse
fut de plus en plus remarqué. Il bénéficiait d'une
popularité étonnante pour un chef de l'Église. Jamais encore n'avait-on vu cela en Pologne : sa renommée s'était étendue dans le pays tout entier.
N'était-il pas le seul archevêque qui continuait d'aller prêcher dans chacune de ses paroisses, peu importe la taille qu'elle pouvait avoir ? Bien sûr, le
crâne s'était un peu dégarni, sa silhouette s'était ar-
rondie, il n'avait plus la même démarche, mais sa
santé restait excellente et son énergie l'autorisait à
exécuter toutes les tâches qu'il croyait devoir assu-
mer.

Sa renommée, probablement sans qu'il ne s'en
doutât ou ne s'y attardât, avait franchi les frontières. Cette audace avec laquelle il avait imprimé la
nouvelle orientation de son diocèse avait plu en haut
lieu. Sa Sainteté Paul VI n'hésita pas à le promou-
voir au cardinalat en mai 1967, soit à peine plus de

trois ans après qu'il eut été nommé archevêque. C'était un grand honneur : en devenant cardinal à quarante ans, Son Éminence Karol Wojtyla figurait au second rang des plus jeunes cardinaux vivants. En apprenant qu'il allait désormais revêtir la pourpre cardinalice, il réserva sa première visite au cardinal Wyszinski. Abandonnant séance tenante la tournée qu'il faisait dans l'une de ses paroisses, il se rendit aussitôt au palais épiscopal de Varsovie pour le rencontrer. Ce n'était pas sans raison, car si la situation exigeait qu'il allât ainsi rencontrer son supérieur ecclésiastique afin de recevoir ses bons vœux, il le fit également afin de dissiper les rumeurs qui sous-entendaient que les deux hommes divergeaient diamétralement d'opinion quant aux affaires de l'Église. Il fit de même à son retour de Rome, alors qu'il fut accueilli par des milliers de fidèles qui le couvraient d'une pluie de fleurs. Il présenta une fois encore ses plus respectueux hommages au primat et déclara que Sa Sainteté elle-même avait tenu à lui présenter ses respects et son admiration. S'il y eut effectivement des divergences d'opinion entre eux, elles étaient plutôt imputables à leurs rôles respectifs : en tant que primat de Pologne, le cardinal Wyszinski se consacrait à des questions d'ordre beaucoup plus général, alors que le cardinal Wojtyla se préoccupait plus particulièrement des questions de fonctionnement quotidien avec les autorités communistes polonaises.

Question de perception

En Pologne, la renommée du cardinal Wojtyla lui valut d'être considéré par la population comme un ennemi implacable du communisme, peut-être à cause de ses talents d'orateur ou d'intellectuel, voire simplement grâce à cette grande popularité dont il bénéficiait auprès des jeunes ou, en fin de compte, parce qu'il était un religieux d'une autre génération que celle de Son Éminence le cardinal Wyszinski.

Paradoxalement, les autorités communistes ne le virent pas comme un ennemi du régime. Au contraire, ils crurent, lorsqu'il devint cardinal en 1967, que son élection ferait contrepoids à l'influence dite conservatrice du cardinal Wyszinski. Jugé tel un intellectuel, ayant des goûts avoués pour la poésie et la littérature en général, détenteur d'un doctorat en théologie, on estimait que tout progressiste qu'il fut, il allait sans doute chercher à tempérer cet anticommunisme dont personne n'ignorait que l'Église se faisait la propagandiste. La direction communiste, au fait des rumeurs de dissensions entre les deux cardinaux, chercha d'ailleurs à profiter de cette situation. Ainsi, lorsque des invités officiels visitaient la Pologne, les dirigeants les conduisaient non pas chez le primat de Pologne, comme l'eût exigé le protocole, mais chez Son Éminence Karol Wojtyla, qui s'arrangeait pour ne pas être là, ou qui se contentait de leur servir d'escorte pour les accompagner au palais épiscopal du primat... Malgré tout, conscient de cette manipulation à laquelle on tentait de le compromettre, le cardinal Wojtyla fit toujours preuve de loyauté envers son supérieur.

En dépit de sa façon d'agir, les autorités politiques continuaient de préférer ce jeune cardinal au cardinal Wyszinski, qu'on percevait comme étant encore marqué par les effets de la guerre ; néanmoins, elles ne comprirent jamais que le cardinal Wojtyla avait lui aussi vécu cette situation, mais qu'il avait entrepris une autre approche pour atteindre les buts qu'il s'était fixés. On ne faisait pas une confiance totale à Wojtyla, loin de là. Les autorités le connaissaient trop bien pour son esprit et son habileté à se mouvoir n'importe où, en toute circonstance, mais on estimait qu'on pouvait composer plus aisément avec lui qu'avec le cardinal Wyszinski.

Le cardinal Wojtyla évita donc les grands débats politiques dont se chargeait le primat, mais il conserva néanmoins à l'esprit la nécessité de la séparation entre le pouvoir religieux et le pouvoir politique. Il prit donc la mesure du pouvoir et prononça des sermons et des conférences, fit des gestes que lui conférait son autorité, mais qui ne plaisaient décidément pas aux dirigeants politiques. D'ailleurs, Wojtyla et le cardinal Wyszinski semblaient animés par les mêmes idées, et seule leur expression des situations et des problèmes était différente.

Les autorités parvenaient mal à cacher leur malaise. On se mit à regretter l'arrivée de ce nouveau cardinal sur lequel on avait pourtant beaucoup misé. Il était parvenu à « décevoir » les autorités, notamment en s'opposant énergiquement à certaines mesures officielles. Trois sujets revenaient de façon constante : l'interdiction qui frappait le parcours de la procession de la Fête-Dieu ; l'interdiction qui empêchait la réouverture de la faculté de théologie de l'université de Cracovie et, finalement, l'interdiction de construire de nouvelles églises.

Lorsque le cardinal Wojtyla prit position sur la question des droits de l'homme, dans des sermons et des lettres pastorales de plus en plus directes, dénonçant le sort fait aux dissidents, aux intellectuels et aux travailleurs, c'en fut trop. Pour le gouvernement, il avait dépassé les limites de l'acceptable. Pour qu'il le comprenne bien, outre les avertissements et les mises en garde de circonstance, il devint la cible de nombreuses tracasseries et d'un harcèlement sans relâche : ainsi, par deux fois au moins, alors qu'il se rendait à Rome, il fut arrêté et fouillé à la frontière où on lui retira même son passeport diplomatique. Une autre fois, on garda ses valises pour la fouille. Il les récupérera quelques semaines plus tard, quelques effets manquant. Mais tout cela ne parvint pas à tempérer les ardeurs du cardinal Wojtyla : il continua de défendre les causes en lesquelles il croyait et de dénoncer, avec encore plus de vigueur, les mesures injustes dont l'Église et ses représentants étaient les victimes.

Attentif aux besoins des autres

Le cardinal Wojtyla avait beaucoup à voir et à faire dans son diocèse ; malgré cela, il n'en poursuivit pas moins ses activités littéraires – tantôt auteur dramatique, tantôt poète, tantôt journaliste...

Il est d'ailleurs presque impossible d'établir le nombre exact des divers poèmes, pièces, essais, articles ou livres qu'il publia au fil des années, ni même une liste exacte des publications dans lesquelles ces écrits furent publiés. On sait avec certitude que plus de cinq cents articles parurent dans diverses publications polonaises et étrangères, mais ces chiffres ne tiennent pas compte de ses poèmes. Il signait rarement ses écrits de son véritable nom. Karol Wojtyla avait plutôt recours à deux pseudonymes, ceux de Andrzej Jawien, ou quelquefois les seules initiales A.J., et Andrzej Stanislaw Gruda.

Tout illustre l'intérêt que Son Éminence portait à la chose littéraire, même après qu'il fut devenu cardinal ; mais cet intérêt, il s'arrangeait néanmoins pour qu'il puisse profiter à ceux dont il avait la responsabilité. Il apporta ainsi son concours à diverses activités intellectuelles ou littéraires ; à ses yeux, il était important de développer ce qu'il appelait un « personnalisme chrétien » ; ainsi, en grande partie grâce à son dévouement, se déroule tous les cinq ans en Pologne un congrès qui réunit les théologiens. C'est aussi grâce à lui que la réimpression de la plus vieille Bible polonaise put se faire. De plus, il collabora à la réalisation d'un congrès international de philosophes.

Recherche personnelle et développement intellectuel furent parmi ses fers de lance. Se rappelant avoir occupé la chaire de morale du département de philosophie de l'université de Lublin, conscient de l'importance et de l'influence du savoir, il s'y rendit pendant longtemps afin d'y donner des conférences pour les étudiants, ces mêmes étudiants qui venaient le retrouver à Cracovie, lorsqu'il organisait des séminaires à leur intention. De plus, ses portes leur étaient toujours ouvertes et il lui arrivait souvent de participer à d'interminables discussions tard le soir ou dans la nuit... Pendant toute la période où il fut évêque, archevêque, et même au début de son cardinalat, il continua ces réunions et ces rencontres parce qu'il savait qu'elles étaient nécessaires et primordiales

Cependant, malgré sa bonne volonté et son sens de l'organisation, il arriva un moment où l'importance de ses fonctions ne lui accorda plus le temps nécessaire à ces activités. Il chercha une solution ! Il décida donc de mettre à profit les moments de détente au grand air qu'il affectionnait. Durant toutes les années où il exerça son ministère à Cracovie, il ne cessa jamais de pratiquer l'exercice physique sous de nombreuses formes. Ainsi, au cours de ses journées de congé, il faisait du ski, de l'escalade ou simplement de la marche à pied. Il invita ses étudiants à l'accompagner sur les collines et dans les forêts des alentours de Cracovie. Tout en marchant ou en se reposant sous les arbres, il abordait avec eux les questions qui leur tenaient à cœur.

Une fois encore, il prêchait par l'exemple ce qui devait être fait.

Emilia Kaczorowska et Karol Wojtyla,
mère et père de Jean-Paul II.

Le jeune Karol, quelques mois avant la mort de sa mère.

Le futur Saint-Père, rangée supérieure, deuxième à partir de la
droite. Le premier homme, en imperméable (à sa droite),
est son père. Photographie prise avec ses camarades de classe
à Wieliczka, le 26 mai 1930.

Jean-Paul II à 12 ans (rangée supérieure, premier à partir
de la gauche). École paroissiale de Wadowice (1932).

Karol Wojtyla, étudiant à la faculté des lettres
de l'Université de Cracovie.

Karol Wojtyla, jeune prêtre.

Le cardinal Wojtyla en communion avec la nature.

L'archevêque Karol Wojtyla (Cracovie, 29 août 1969).

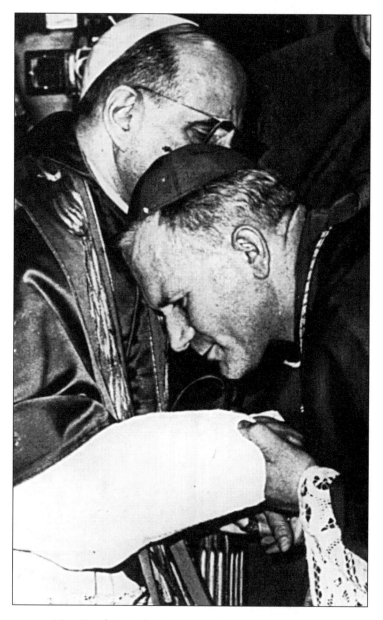

Mgr Karol Wojtyla, 58 ans, archevêque de Cracovie,
devient le 264ᵉ successeur de saint Pierre sous le nom de
Jean-Paul II (Rome, 16 octobre 1978).

Intronisation de Jean-Paul II, place Saint-Pierre à Rome
(23 octobre 1978).

Le Saint-Père salue les fidèles de Wadowice, sa ville natale,
sept mois après son intronisation (7 juin 1979).

Jean-Paul II avec des évêques catholiques réunis à la chapelle du
séminaire Quigley (banlieue sud de Chicago, 5 octobre 1979).

13 mai 1981. Jean-Paul II est gravement blessé par un terroriste
turc, Mehmet Ali Agca, place Saint-Pierre à Rome.

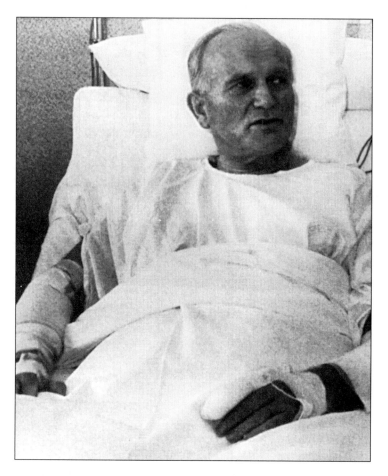

Le Saint-Père à l'hôpital, sept jours après l'attentat
(20 mai 1981).

Mehmet Ali Agca à l'ouverture de son procès à Rome
(21 juillet 1981).

Jean-Paul II au balcon de sa résidence d'été de Castel Gandolfo,
quatre mois après l'attentat (septembre 1981).

L'ASCENSION ROMAINE DU CARDINAL WOJTYLA

Au fil des années, qu'il fût prêtre, évêque, archevêque et cardinal, il fit de nombreux voyages à Rome au cours desquels – outre le séjour d'études qu'il y avait fait de 1946 à 1948 – il participa activement aux sessions du concile, au début des années soixante. Il fit ainsi ses premiers pas dans l'ombre, mais il ne lui fallut guère de temps pour émerger du lot et acquérir une renommée internationale. L'un de ses discours – il en prononcera huit – restera d'ailleurs toujours présent à la mémoire de ceux qui l'auront entendu.

Ainsi, de 1962 à 1965, en tant qu'évêque puis archevêque, il assistera à toutes les sessions du concile ; en 1967, cependant, aucun membre du clergé polonais ne participera au premier synode réuni par Paul VI. Cinq évêques, dont le cardinal Wojtyla, avaient bien été délégués par l'Église polonaise pour l'y représenter, mais les autorités du pays refusèrent d'accorder leur passeport à deux d'entre eux. En guise de protestation et en signe de solidarité, les trois autres représentants refusèrent de faire le voyage. En 1969, cependant, le cardinal Wojtyla participa au synode des évêques, non pas comme le représentant de l'Église polonaise, mais en tant que délégué de Sa Sainteté. Cette année-là, il vint pour la première fois au Canada et se rendit également aux États-Unis.

Ce fut son premier voyage outre-mer. Il arriva au Canada comme représentant officiel du primat de Pologne et visita plusieurs villes canadiennes dont Montréal, où il rencontra Monseigneur Léger. Il visita aussi Québec, Ottawa, Toronto, Edmonton, Calgary et Winnipeg. Il rencontra plusieurs dirigeants et chefs politiques et religieux et se rendit dans plusieurs paroisses de la communauté polonaise. Il participa enfin à la célébration du 25e anniversaire du Congrès polono-canadien.

Son séjour en terre américaine fut d'inspiration différente puisqu'il n'y représentait pas, cette fois, le primat polonais, mais qu'il s'y rendait à titre personnel. Bien entendu, ce voyage lui accorda une plus grande marge de manœuvre et une plus grande liberté d'expression. Il en profita d'ailleurs, de façon pondérée.

Il devint inévitable qu'on ne pouvait pas ne pas remarquer ce cardinal énergique, bon orateur mais aussi très intelligent. Il poursuivit son engagement à

Rome et, en 1971, au synode où il prit la parole sur deux sujets à l'ordre du jour, il fut tout à coup projeté au-devant de la scène : sa spiritualité, alliée à ses talents, le fit remarquer des évêques et des cardinaux avec lesquels il avait travaillé pendant quarante jours d'affilée. Il fut même élu au secrétariat du synode par cent quinze voix sur cent quatre-vingt-quatre.

Au synode de 1974, le cardinal Wojtyla fut chargé de rapporter la deuxième partie des débats. Son travail fut effectué de façon précise et claire, en présence des autres cardinaux et évêques. Ceux-ci soulignèrent son intelligence et son attitude. On s'accorda à dire que si, en 1971, on l'avait « découvert », c'est à ce moment-là que commença son ascension.

Au synode de 1977, en l'absence du cardinal Wyszinski, primat de Pologne, Karol Wojtyla conduisit la délégation polonaise. Comme il était aussi le cardinal le plus ancien du secrétariat du concile, il en devint le président. Le synode est en quelque sorte la scène où sont jugés ceux qui seront appelés à jouer un rôle déterminant au sein de l'Église. Ainsi, au cours des cinq années qui suivirent, son implication dans les affaires du Vatican fut de plus en plus notable : il devint membre de plusieurs commissions importantes et sa collaboration était recherchée et appréciée de tous. De plus, on savait aussi, dans la curie, que le cardinal était proche du Saint-Père, qui tendait volontiers l'oreille à ses propos.

Déjà grand voyageur

La réputation de Son Éminence Karol Wojtyla à l'intérieur de l'Église fut acquise en grande partie grâce à ses dons intellectuels et à son pouvoir analytique, mais aussi grâce aux nombreux voyages qu'il effectua à travers le monde. Il voyagea effectivement plus que n'importe quel autre membre de l'épiscopat, avec des objectifs multiples : découvrir le monde et apprendre ; prêcher et faire des conférences ; rencontrer des gens de toutes les nationalités et discuter avec eux, tout en étendant ses relations avec des Polonais d'origine ou en exil ; assister à des réunions ecclésiastiques et aux cérémonies officielles de l'Église, tout en établissant et consolidant des relations étroites personnelles avec les dirigeants des Églises étrangères. En définitive, peu nombreux sont ceux qui n'auront pas reçu sa visite... Cela eut également un effet d'entraînement, car au fil des années et des rencontres, de plus en plus de cardinaux et d'évêques feront un détour par Cracovie à l'occasion de leurs séjours polonais.

Après avoir visité la France et la Belgique pendant un séjour d'études et y être retourné pour quelques jours par la suite, il visita également, dans les années soixante, la plupart des pays d'Europe de l'Ouest et une première fois le Canada et les États-Unis. Tout au long de son ascension romaine, il multiplia ses voyages à l'étranger : en Australie, en Nouvelle-Zélande, en Nouvelle-Guinée, aux Philippines. Il revint une fois encore au Canada et retourna aux États-Unis. Il visita l'Afrique. Partout ses sermons suscitèrent des commentaires favorables ; on découvrait de plus en plus et de mieux en mieux ce cardinal Wojtyla, d'autant que les médias du monde entier s'attachaient à ses pas et rapportaient ses activités, non sans une certaine admiration. C'est aussi à peu près à ce moment-là qu'il prit conscience de l'importance et du rôle des médias et qu'il comprit le pouvoir qui était le leur. Il découvrit cependant aussi les contraintes qui leur appartenaient afin de répondre aux attentes des lecteurs ou des téléspectateurs. De retour à Rome, au cours d'une rencontre à la radio du Vatican pour parler de sa prochaine conférence, il s'intéressa aux critères que les moyens de communications exigeaient. Il put ainsi adapter son message aux besoins de la communication de masse.

Les retours au bercail

Les voyages du cardinal Wojtyla le ramenaient sans cesse à Cracovie où il voyait à son diocèse, ainsi qu'à Rome, où il habitait alors au Collège polonais, situé dans un quartier résidentiel de la capitale italienne. Ce collège, comme d'ailleurs les collèges de toutes les Églises du monde, recevait principalement les jeunes prêtres venus poursuivre leurs études dans la Ville éternelle où les universités catholiques bénéficient des meilleures conditions. Lorsqu'il s'y installa, le recteur lui donna ce qu'on y appelle depuis, la « chambre du cardinal ». La vie qu'il y mena alors fut tout aussi remplie que lorsqu'il était dans son diocèse ; levé de bonne heure, avant les étudiants, et avant même les autres prêtres, il célébrait sa messe dès sept heures. Il allait ensuite prendre son petit déjeuner au réfectoire, puis il se rendait à un rendez-vous ou à ses appartements pour travailler. Il consacrait encore ses après-midi au travail ou à faire une conférence. Il prenait aussi, de façon immuable, ses repas du midi et du soir au réfectoire du collège. Il se faisait aussi un plaisir de lancer des invitations, notamment aux cardinaux avec lesquels il était appelé à travailler aux synodes.

Le cardinal Wojtyla était toujours aussi détaché des questions matérielles qu'auparavant ; l'argent n'existait tout simplement pas pour lui ! D'ailleurs, il ne possédait presque rien ; tout ce qu'on lui offrait, il en faisait aussitôt cadeau à quelqu'un d'autre. Il n'attachait pas d'importance à sa garde-robe : il possédait trois soutanes noires, quatre soutanes rouges de cardinal et trois paires de chaussures. Rien de plus.

Outre ses travaux au Vatican, sa vie romaine se résumait aux activités auxquelles il se consacrait au Collège polonais. Comme cela avait toujours été le cas, il déploya et entretint d'excellentes relations avec les étudiants qui y vivaient et qui appréciaient sa présence et sa fréquentation. D'ailleurs, existait alors une coutume selon laquelle on donnait une petite fête, où on servait un peu de vin et de jus d'orange, à l'anniversaire de l'un ou de l'autre. Quand arriva le premier anniversaire commémorant le premier séjour du cardinal, on hésita à l'inviter, jugeant une telle manifestation un peu frivole pour une personne de son rang, mais on le fit quand même... Et Son Éminence le cardinal Wojtyla y assista, comme il le fera chaque fois. Si bien que, quelques années plus tard, quand il fut nommé membre d'honneur du collège, il s'empressa de célébrer l'événement en conviant tous les étudiants à une grande fête qu'il organisa lui-même.

LA CROIX
DE TOUTES LES TENSIONS
ET DE TOUS LES DANGERS

Le cardinal Wojtyla s'accommodait fort bien de l'existence qu'il menait, des responsabilités qui étaient les siennes dans son diocèse et de celles qui lui étaient confiées par Rome, ainsi que de ces voyages qui le conduisaient aux quatre coins du monde. Il aurait sans doute continué à vivre ainsi, sans aspirer à plus, si les circonstances ne l'avaient placé devant l'inéluctable.

Paul VI mourut le 6 août 1978, à sa résidence d'été de Castel Gandolfo, à l'âge de quatre-vingt-un ans, après avoir été pape pendant plus de quinze ans. Le cardinal Wojtyla quitta alors Cracovie pour rendre un dernier hommage à celui qu'il avait admiré et aimé. C'est une Rome quasi déserte qu'il trouva à sa descente d'avion, mais cela lui importa peu. Il alla aussitôt se recueillir devant la dépouille du Saint-Père. Il établit ensuite ses quartiers au Collège polonais, comme il le faisait à chacun de ses séjours dans la ville romaine. Les funérailles étaient à peine terminées que, déjà, les cardinaux étaient à pied d'œuvre. Depuis l'enterrement de la dépouille du Saint-Père, tous les cardinaux présents à Rome se réunissaient presque quotidiennement afin de discuter et de régler les affaires courantes. Ils en profitaient pour étudier cette nouvelle constitution que Paul VI avait élaborée et qui concernait la façon dont devait se dérouler le prochain conclave.

Une semaine avant la réunion des cardinaux-électeurs, toute la presse ne parla plus que de cet événement duquel émergerait le nouveau pape. On expliqua en détail la constitution qui régirait le déroulement du conclave et l'on s'entendit pour dire que l'élection du nouveau pape se déroulerait selon la forme classique, c'est-à-dire que le candidat devrait obtenir les deux tiers des voix plus une pour être élu. Au cours de la dernière semaine, on précisa d'autres détails ; ainsi, l'on apprit qu'il y aurait quatre scrutins par jour, mais qu'on ne brûlerait les bulletins de vote que deux fois par jour, soit vers midi et vers dix-huit heures. La fumée noire signifierait, comme toujours, des scrutins aux résultats négatifs et la fumée blanche annoncerait que le nouveau pape apparaîtrait bientôt au balcon de la Basilique Saint-Pierre. Tout y passa, déclarations, hypothèses, supputations : on remarqua aussi qu'aux conclaves précédents il n'y avait qu'entre quarante et soixante cardinaux-électeurs, alors que cette fois-ci on en dénombrait cent onze, provenant de quarante-huit pays, et que cent parmi ceux-là avaient été nommés par Paul VI. On divisa les cardinaux en trois catégories : les conservateurs, les progressistes et les centristes, parmi lesquels le cardinal Wojtyla figura. Mais lorsqu'on supputa les chances de chacun, les journalistes italiens ne semblèrent y voir que des Italiens. Pourtant l'Église italienne était devenue minoritaire au sein de ce conclave...

Pendant ce temps, le cardinal Wojtyla réglait ses dernières affaires. Il ne savait pas combien de temps durerait le conclave, qui pourrait être long si les Italiens étaient divisés dans leur choix. Puis, le 25 août 1978, le cardinal Wojtyla se rendit une fois de plus au Vatican, mais cette fois pour participer à la procession des cardinaux vers la Confession de Saint-Pierre. Tous les électeurs y étaient. À la fin de la procession, le secrétaire d'État du précédent pape remplissait la fonction de cardinal-camerlingue ; puis les lourdes portes se refermèrent sur ces hommes qui allaient choisir celui d'entre eux qui inspirerait et dirigerait bientôt les huit cents millions de catholiques à travers le monde.

Le lendemain à midi, la place Saint-Pierre était bondée. La foule attendait le résultat des premiers scrutins. Quelques minutes après midi, une fumée noire s'éleva dans le ciel. Vers dix-huit heures, la foule était plus dense encore, même si l'espoir d'un possible résultat positif était fort mince. Mais, à la surprise de tous, peu après dix-huit heures, une fumée blanche s'échappa de la cheminée du Vatican. L'élection était terminée, un nouveau pape était élu. On sentait la foule impatiente de connaître l'identité du nouvel élu, mais elle devrait attendre encore plus d'une heure avant que celui-ci n'apparaisse au balcon de la cathédrale. Le cardinal Felici apparut au balcon et présenta finalement, sous les vivats et les bravos de la foule, le cardinal Luciani qui avait désormais choisi de porter le nom de Jean-Paul Ier.

Le lendemain, après la messe à laquelle leur avait demandé d'assister le nouveau Saint-Père, le cardinal Wojtyla réintégra le Collège polonais.

Un cardinal qui n'est plus le même

Après ce conclave qui avait vu l'élection du cardinal Luciani, le cardinal Wojtyla repartit en Pologne. Visiblement tendu, il s'était alors accordé quelques jours de repos qu'il avait consacrés à l'escalade en montagne. À son retour, il n'était pas parvenu à faire disparaître cette tension. Tout confirmait les rumeurs qui laissaient entendre qu'il avait obtenu un nombre significatif de votes au conclave. Comme le secret entoure le déroulement des scrutins, on ne connaîtra probablement jamais les faits. Seul Karol Wojtyla aurait pu dévoiler les pensées qui furent les siennes entre les deux conclaves.

Néanmoins, il ne fit aucun doute que ce conclave laissa des séquelles chez lui, le força à la réflexion et à la prière. Il comprit peut-être plus que jamais l'importance des devoirs d'un pape et des lourdes responsabilités qui incombaient à celui qui serait choisi par ses pairs. Comme pour montrer que c'était là un de ses sujets de réflexion, il prononça, quelque temps plus tard – Jean-Paul Ier toujours vivant – une homélie qui dévoilait le sens de sa pensée :

> « *La papauté, disait-il, est une très haute dignité, mais c'est aussi une très lourde croix. Le nouveau pape a pris sur ses épaules la croix de l'homme moderne. La croix de la famille humaine contemporaine. La croix de toutes ces tensions et de tous ces dangers. Le danger inimaginable d'une nouvelle guerre qui nous reste toujours présent à l'esprit. Il a également pris sur ses épaules la croix de toutes ces tensions, de tous ces dangers, nés de multiples injustices. Seule la croix du Christ peut réussir à les vaincre.* »

Le cardinal Wojtyla n'imaginait sans doute pas que toutes ces croix seraient bientôt les siennes. Cette homélie lui avait sans doute été inspirée par le rôle que certains auraient souhaité lui confier, pendant le précédent conclave. On était loin de penser, et Karol Wojtyla le premier, qu'un autre conclave serait à nouveau nécessaire.

Aussi, lorsque survint le décès du « pape du sourire », terrassé par une crise cardiaque dans son lit, la nouvelle prit le monde entier de court : il n'y avait guère plus d'un mois qu'il avait été élu. Le cardinal Wojtyla l'apprit alors qu'il célébrait une messe à la cathédrale du château Wawel, une messe d'autant plus significative qu'elle marquait le vingtième anniversaire de sa consécration comme évêque. Cette annonce le troubla profondément.

Le lendemain, il célébra une autre messe, dans une église bondée, à la mémoire du Saint-Père décédé, puis il resta enfermé chez lui pendant les trois jours qui suivirent, se livrant à la prière, à la réflexion et expédiant les affaires courantes, celles qui étaient urgentes et celles qui demandaient une attention particulière. Prit-il connaissance des propos du cardinal de Milan qui confiait que les cardinaux étaient prêts à choisir un nouveau dirigeant venant d'un autre pays que l'Italie, comme par exemple le cardinal Wojtyla de Pologne ? Nul ne le saura jamais. Cependant, à cause des résultats du précédent conclave, il devait néanmoins considérer cette possibilité.

Un à un, les cardinaux du monde entier reprirent la route de Rome et il en fut ainsi pour le cardinal Wojtyla qui, sitôt descendu d'avion, se rendit se recueillir auprès du cercueil de Jean-Paul Ier, comme il l'avait fait pour son prédécesseur. Ce n'est qu'une fois cet hommage rendu qu'il gagna le Collège polonais.

Commencèrent alors les *novendiales,* ces neuf jours de deuil et de prière pour Jean-Paul Ier, qui constituent en même temps la période préparatoire au conclave. Le 12 octobre 1978 eut lieu le dernier office du deuil ; le lendemain, la dernière session de la Congrégation des cardinaux ; le surlendemain, on célébra la messe solennelle à la Basilique Saint-Pierre ;

enfin, le dimanche 15 octobre, en compagnie de tous les autres cardinaux, le cardinal Wojtyla entra à la chapelle Sixtine où l'on referma les lourdes portes devant l'isoler du monde extérieur jusqu'à ce qu'un nouveau pape fût choisi.

La première journée ne donna aucun résultat.

Le deuxième jour, à midi, la fumée noire apparut. Le même jour, aux environs de dix-huit heures, une fumée blanche s'échappa de la cheminée surmontant le toit de la chapelle Sixtine.

Un nouveau Saint-Père était élu : qui était-il ? se demanda à nouveau la foule qui se pressait place Saint-Pierre.

LE NOUVEAU STYLE
DE LA PAPAUTÉ

La presse italienne eut de la peine à comprendre l'élection d'un cardinal polonais à la tête de l'Église. De plus, elle sembla avoir de la difficulté à cerner la personnalité de ce nouveau Saint-Père. Bref, elle n'accepta qu'à contrecœur l'élection d'un pape qui n'était pas italien. Aussi, on ne fut pas étonné des ragots et rumeurs dont elle se fit la courroie de transmission ; on raconta qu'il avait été fiancé, marié même, que son épouse avait été tuée par les Allemands pendant la Deuxième Guerre mondiale et que c'est à ce moment-là qu'il avait décidé de devenir prêtre. On alla jusqu'à publier une photo de lui, habillé en civil, en compagnie d'une femme et d'un enfant ! Il s'agissait, bien entendu, d'un montage, rapidement dénoncé.

Les premiers jours comme les premières semaines qui suivirent l'élection du nouveau Saint-Père furent, quant à eux, révélateurs de l'orientation que Jean-Paul II comptait imprimer à la papauté. Le lendemain même de son élection, après la messe, alors que s'achevait le conclave, prolongé pour la circonstance, le pape lut aux cardinaux un message dans lequel il dressa les grandes lignes de son pontificat. Ce faisant, il suivait l'exemple de son prédécesseur mais en poussant plus loin encore cette façon d'agir. Si Jean-Paul Ier avait lu un texte manifestement rédigé par des hommes de la curie romaine, le texte de Jean-Paul II avait visiblement été écrit de sa propre main. D'entrée, il déclara vouloir être fidèle au Concile Vatican II et considérer comme primordiale l'exécution des règles de ce concile. Cette fidélité fut interprétée comme un respect à l'égard de la discipline de l'Église mais, en même temps, on savait que le pape avait bien l'intention de mettre de l'avant les changements qui y avaient été prônés.

Une fois les cardinaux repartis vers leurs pays ou vers leurs collèges romains, le pape alla rendre visite à un ami, évêque polonais, Monseigneur Deskur, hospitalisé à Rome. Jamais les habitants de la Ville éternelle n'avaient vu cela : un pape sortir du Vatican, au lendemain même du conclave, pour rendre visite à un malade ! On y vit presque un exploit ! Mais la véritable surprise résidait dans le comportement naturel qu'il affichait, cette façon simple, cette manière chaleureuse de traiter tout le monde, et surtout ses traits d'esprit et d'humour. L'homme derrière le pape dépassait toute attente : il manifestait une aisance, une ouverture et une sincérité qui, déjà, charmaient et désarmaient ; on avait de la difficulté à contenir son étonnement devant des bouleversements si soudains.

En même temps, on chercha à percer le secret qui avait entouré le conclave et à en révéler son déroulement. En juxtaposant les indiscrétions des uns, les confidences des autres, les propos et les entrevues, on parvint à dresser un portrait qui pourrait être assez juste, du moins théoriquement. Ainsi, si l'on s'accordait à dire que le conclave précédent avait été calme et rapide, il sembla que celui qui avait présidé à l'élection de Karol Wojtyla avait été plutôt orageux, marqué de temps forts.

Au premier jour, on avait tenté de se rassembler autour d'un candidat italien ; sous la tutelle de l'un d'eux s'était constitué un bloc d'une vingtaine de cardinaux, non italiens ceux-là, qui avaient donné leur appui à leur confrère italien. Néanmoins, ce ne fut pas suffisant pour que ce *papabili* soit élu au premier tour. Au deuxième scrutin, le cardinal Benelli se démarqua, dit-on ; au troisième tour de scrutin, il ne parvint cependant pas à obtenir les deux tiers des voix nécessaires ; au quatrième tour, un tournant s'amorça : on envisagea de nouveaux candidats. Mais aucun résultat positif n'en ressortit.

C'est dans la nuit du 15 au 16 octobre 1978, semble-t-il, qu'un bloc de progressistes songea alors à proposer le nom du cardinal Wojtyla.

Lors de la deuxième journée du conclave, après quatre tours de scrutin, il était choisi.

D'autres versions du déroulement de ce conclave existent, si bien qu'il est impossible de ne pas s'y attarder car ces scénarios peuvent également correspondre aux véritables faits qui se sont déroulés ce jour-là. Selon l'un d'eux, le cardinal Wojtyla avait d'abord refusé, avant d'être réélu à nouveau au tour suivant, pour finalement accepter. Selon le second scénario, le cardinal Wojtyla avait également refusé mais, après avoir eu une conversation avec le primat de Pologne, il était revenu sur sa décision. Un troisième scénario suppose que Karol Wojtyla ait lui-même demandé un scrutin supplémentaire afin de s'assurer que ce choix n'était pas dû à un simple concours de circonstances. En fin de compte, le dernier scénario soutient qu'après son élection il aurait simplement demandé quelques heures de réflexion et qu'il aurait ensuite accepté le pontificat.

Chacun de ces scénarios apparaît donc plausible ; leur déroulement est différent, mais ils mettent en évidence le fait que les cardinaux voulaient élire Karol Wojtyla. Ce qui devait d'ailleurs lui permettre d'avoir les coudées franches.

Quelques jours après avoir été élevé au pontificat, il eut sa première audience avec le corps diplomatique. D'abord, au nom de chacun, le doyen de celui-ci lui présenta leurs vœux à l'occasion de son élection. Jean-Paul II leur répondit et leur parla du bon climat essentiel à la réussite de leur mission réciproque. Après son discours, il rompit une fois

encore avec la tradition en conversant individuelle-
ment avec chaque diplomate – une attention qui
fut fort appréciée. Il fit de même à la rencontre avec
le Collège des cardinaux : il s'entretint avec chacun
d'eux en italien, en anglais, en français, en espagnol ou en allemand, selon la langue qu'ils maîtri-
saient le mieux. La manière qu'il avait de faire
connaissance, d'engager et de poursuivre la conversation et de créer une atmosphère détendue et animée de chaleur humaine lui valut rapidement la
sympathie de tous.

C'est à peu près à ce moment-là qu'il eut sa
première rencontre officielle avec la presse : plus de
quinze cents journalistes y assistaient. Il fit à leur
intention un bref discours, aborda quelques sujets,
répondit à quelques questions et se dirigea ensuite
vers la sortie de la salle... qu'il ne quitta vraiment
que près de cent minutes plus tard ! Pendant tout
ce temps, il s'attarda avec les uns et les autres, s'ap-
prochant d'eux, saisissant même les micros qu'on
lui tendait pour faciliter l'enregistrement de ses propos. Les journalistes, tout autant que son entourage, en eurent le souffle coupé : jamais on n'avait
vu une telle façon de faire. Il répondit sans détour,
dans la langue même de l'interviewer : en italien,
en anglais, en français, en allemand, en russe et, bien
entendu, en polonais. Une fois cette conférence de
presse improvisée terminée, il se retourna et, sans
plus de façon, il donna sa bénédiction. Les journalistes étaient séduits.

Les obligations d'un pontificat

Les audiences avec le corps diplomatique, le Collège des cardinaux et avec les journalistes ne furent que quelques-unes des obligations de Jean-Paul II dans sa nouvelle fonction : le début de son pontificat n'était pas encore célébré que déjà il y manifestait une grande aisance.

Une semaine après son élection eut lieu la messe solennelle qui marqua officiellement le début de son pontificat. À huit heures du matin, le 22 octobre 1978, la foule s'était déjà massée place Saint-Pierre ; à droite de l'autel, on remarquait les chefs d'État et les membres du corps diplomatique ; à droite, les évêques et les représentants des Églises non catholiques, du Patriarcat œcuménique de Constantinople, du Patriarcat de Moscou et bien d'autres encore. On nota même la présence de l'archevêque de Canterbury. La foule occupait non seulement la place Saint-Pierre, mais aussi la place Pie-XII et même une bonne partie de l'avenue de la Consolation : plus de trois cent mille personnes.

La cérémonie se déroula selon le rituel de circonstance : les cardinaux embrassèrent l'anneau du pêcheur du Saint-Père et reçurent le baiser de paix. Le défilé dura longtemps. Puis ce fut la messe, et Jean-Paul II prononça une homélie qui, au fil des mots, se démarqua des habituelles prières de circonstance.

Voici d'ailleurs l'homélie qu'il prononça lors de cette messe solennelle qui marqua le début de son ministère de pasteur suprême, le dimanche

22 octobre 1978, et qui allait en quelque sorte dresser les grandes lignes de l'action qui serait la sienne pendant toute la durée de son pontificat.

PREMIÈRE HOMÉLIE DE JEAN-PAUL II

Tu es le Christ, le fils du Dieu vivant (Matt. 16, 16).

Ces paroles, c'est Simon, fils de Jonas, qui les a prononcées dans la région de Césarée de Philippe. Oui, il les a exprimées dans sa propre langue, avec une conviction profondément enracinée dans les sentiments et dans la vie, mais ce n'est pas en lui qu'elles trouvaient leur source, leur origine : « ...car cette révélation t'est venue non de la chair et du sang, mais de mon Père qui est dans les cieux » (Matt. 16, 17).

Ces paroles étaient celles de la foi. Elles marquent le commencement de la mission de Pierre dans l'histoire du salut, dans l'histoire du Peuple de Dieu. Depuis lors, à partir d'une telle profession de foi, l'histoire sainte du salut et du peuple de Dieu devait acquérir une nouvelle dimension, s'exprimer dans la dimension historique de l'Église. Cette dimension ecclésiale de l'histoire du peuple de Dieu tire, en effet, son origine de ces paroles de foi et est liée à l'homme qui les a prononcées : « Tu es Pierre – le roc, la pierre – et sur toi, comme sur une pierre, je construirai mon Église» (Matt. 16, 18).

Aujourd'hui et en ce lieu, il faut que de nouveau soient prononcées et écoutées les mêmes paroles : « Tu es le Christ, le fils du Dieu vivant. »

Oui, frères et fils, ces paroles avant tout. Leur contenu découvre à nos yeux le mystère du Dieu vivant, mystère que le fils nous a rendu proche. Personne, en effet, n'a rendu le Dieu vivant proche des hommes, personne ne l'a révélé comme lui-même l'a fait.

Dans notre connaissance de Dieu, dans notre chemin vers Dieu, nous sommes totalement tributaires de la force de ces paroles : « Qui me voit voit également le père » (Jn 14, 9). Celui qui est infini, impossible à scruter, impossible à exprimer, s'est fait proche de nous en Jésus-Christ, le Fils unique né de la Vierge Marie, dans l'étable de Bethléem.

Vous tous qui êtes encore à la recherche de Dieu, vous tous qui avez le chance inestimable de croire, et vous aussi qui êtes tourmentés par le doute, veuillez accueillir encore une fois, aujourd'hui, en ce lieu sacré, les paroles prononcées par Simon Pierre. Ces paroles contiennent la foi de l'Église. Elles contiennent la vérité nouvelle, bien plus, la vérité ultime et définitive sur l'homme : le Fils du Dieu vivant. « Tu es le Christ, le Fils du Dieu vivant. »

Aujourd'hui, le nouvel évêque de Rome inaugure solennellement son ministère et la mission de saint Pierre. Dans cette ville, en effet, Pierre a accompli et mené à son terme la mission que lui avait confiée le Seigneur.

Le Seigneur s'adressa à lui en disant : « ...quand tu étais plus jeune tu mettais toi-même ta ceinture et tu allais où tu voulais ; mais quand tu auras vieilli, tu étendras les mains, et un autre te mettra ta ceinture et te mènera où tu ne voudrais pas» (Jn 21, 18).

Et Pierre est venu à Rome.

Qu'est-ce qui l'a guidé et conduit vers cette ville, le cœur de l'empire, sinon l'obéissance au commandement reçu du Seigneur ? Peut-être ce pêcheur de Galilée n'a-t-il pas voulu venir jusque-là. Peut-être aurait-il préféré rester sur les rives du lac de Génésareth, avec sa barque et ses filets ? Mais conduit par le Seigneur et obéissant à son commandement, il est venu jusqu'ici.

Selon une vieille tradition (qui a trouvé une belle expression littéraire dans un roman d'Henryk Sienkiewicz), pendant la persécution de Néron, Pierre aurait voulu quitter Rome. Mais le Seigneur est intervenu ; il est venu à sa rencontre. Pierre s'adressa à lui et lui demanda : « Quo vadis, domine ? » – « Où vas-tu, Seigneur ? ». Et le Seigneur lui répondit aussitôt : « Je vais à Rome pour y être crucifié une seconde fois. » Pierre retourna à Rome, et il y resta jusqu'à sa crucifixion.

Oui, frères et fils, Rome est le siège de Pierre et sur ce siège de nouveaux évêques lui ont toujours succédé. Aujourd'hui, un nouvel évêque accède à la chaire romaine de Pierre, un évêque rempli de crainte, conscient de son identité. Et comment ne pas craindre en face de la grandeur d'un tel appel et en face de la mission universelle de ce siège romain ?

Mais sur le siège de Pierre monte aujourd'hui un évêque qui n'est pas romain. Un évêque qui est fils de la Pologne. Mais dès cet instant, il devient lui aussi romain. Oui, romain ! Il l'est aussi parce qu'il est fils d'une nation dont l'histoire, depuis ses plus lointaines origines, dont les traditions millénaires sont marquées par un lien vivant avec ce siège de Pierre, fort, ininterrompu, profondément ancré dans les sentiments et dans la vie, une nation qui est toujours demeurée fidèle à ce siège de Rome. Ô dessein insondable de la divine Providence !

Dans les siècles passés, lorsque le successeur de Pierre prenait possession de son siège, on posait sur sa tête la triple couronne, la tiare. Le dernier pape couronné fut Paul VI en 1963. Mais une fois achevé le rite solennel de son couronnement, il n'a plus jamais usé de la tiare et a laissé à ses successeurs la liberté de prendre leur décision à ce sujet.

Le pape Jean-Paul Ier, dont le souvenir est si vivant dans nos cœurs, n'a pas voulu de la triple couronne, et aujourd'hui son successeur n'en veut pas davantage. En effet, ce n'est pas le moment de revenir à un rite qui (injustement) a été considéré comme le symbole du pouvoir temporel des papes.

L'époque actuelle nous invite, nous pousse, nous oblige à regarder le Seigneur et à nous plonger dans l'humble méditation du mystère du pouvoir suprême du Christ. Celui qui est né de la Vierge Marie, le fils du charpentier – comme on avait coutume de l'appeler – Fils du Dieu vivant, comme l'a confessé l'apôtre Pierre, est venu pour faire de nous tous son « sacerdoce royal ».

Le Concile Vatican II nous a rappelé le mystère de ce pouvoir et le fait que la mission du Christ, prêtre, prophète et roi, continue dans l'Église. Tout le peuple de Dieu participe à cette triple mission. Et si autrefois on déposait sur la tête du pape la triple couronne, c'était pour exprimer, à travers ce symbole, le dessein du Seigneur sur son Église, à savoir que toute la hiérarchie de l'Église du Christ, et tout le pouvoir sacré exercé par elle, ne sont qu'un service, le service qui tend à un unique but : la participation de tout le peuple de Dieu à cette triple mission du Christ et sa constante fidélité à demeurer sous le pouvoir du Seigneur, lequel tire ses origines, non des puissances de ce monde, mais du mystère de la croix et de la résurrection.

Le pouvoir absolu et très doux du Seigneur répond à ce qu'il y a de plus profond en l'Homme, aux aspirations les plus nobles de son intelligence, de sa volonté, de son cœur. Ce pouvoir ne s'exprime pas en langage de force, mais dans la charité et la vérité.

Le nouveau successeur de Pierre sur le siège de Rome adresse aujourd'hui une prière fervente, humble et confiante : ô Christ, fais que je puisse devenir et demeurer un serviteur de ton unique pouvoir ! Un serviteur de ton pouvoir tout imprégné de douceur ! Un serviteur de ton pouvoir qui ne connaît pas de déclin ! Fais que je puisse être un serviteur ! Ou, mieux, le serviteur de tes serviteurs !

Frères et sœurs n'ayez pas peur d'accueillir le Christ et d'accepter son pouvoir ! Aidez le pape et tous ceux qui veulent servir le Christ et, avec la puissance du Christ, servir l'homme et l'humanité entière ! N'ayez pas peur ! Ouvrez, ouvrez toutes grandes les portes au Christ ! À sa puissance salvatrice, ouvrez les frontières des États, les systèmes économiques et politiques, les immenses domaines de la culture, de la civilisation, du développement. N'ayez pas peur ! Le Christ sait « ce qu'il y a dans l'homme » ! et Lui seul le sait.

Aujourd'hui, si souvent, l'homme ignore ce qu'il porte au-dedans de lui, dans les profondeurs de son esprit et de son cœur. Si souvent il est incertain

quant au sens de sa vie sur cette terre, il est en-
vahi par le doute qui se transforme en désespoir.
Permettez donc, je vous prie, je vous implore avec
humilité et confiance, permettez au Christ de
parler à l'homme. Lui seul a les paroles de vie,
oui, de vie éternelle !

Aujourd'hui, justement, l'Église entière célèbre
sa Journée missionnaire mondiale, c'est-à-dire
qu'elle prie, qu'elle médite, qu'elle agit pour que
les paroles de vie du Christ parviennent à tous
les hommes et qu'ils les écoutent comme un mes-
sage d'espérance, de salut, de libération totale.

Je remercie tous ceux qui sont ici présents, qui
ont voulu participer à cette solennelle inaugu-
ration du ministère du nouveau successeur de
l'apôtre Pierre. Je remercie cordialement les chefs
d'État, les représentants des autorités, les délé-
gations des gouvernements pour leur présence qui
m'honore tant.

Merci à vous, chers cardinaux de la sainte Église
romaine !

Merci à vous, mes frères bien-aimés dans l'épiscopat !

Merci à vous, chers prêtres !

Merci, sœurs et frères, religieuses et religieux des
ordres et des congrégations !

Merci à vous, Romains, merci à vous, pèlerins
venus du monde entier !

Merci enfin à tous ceux qui se sont unis à cette cérémonie grâce à la radio et à la télévision !

Poursuivant son homélie en langue polonaise, le pape déclara :

Je me tourne maintenant vers vous, les évêques, mes frères, avec à votre tête votre vénéré Primat, vers vous, prêtres, sœurs et frères des congrégations religieuses polonaises, vers vous, représentants de la Pologne dans le monde entier.

Que puis-je vous dire, à vous qui êtes venus de ma cité de Cracovie, du siège de saint Stanislas dont je suis l'indigne successeur depuis quatorze ans ? Tout ce que je pourrais dire est bien pâle au regard de ce que ressent en ce moment mon cœur et de ce que vous éprouvez aussi dans vos cœurs.

Laissons donc tomber les paroles. Que reste seulement le grand silence devant Dieu, le silence qui se traduit en prière.

Je vous en prie, soyez avec moi ! À Jasna Gora et partout. Ne cessez pas d'être avec le pape qui prie aujourd'hui avec les paroles du poète : « Mère de Dieu qui défend la claire Czestochowa et qui brille sur la ‹ porta accuta › » ! Je vous adresse les mêmes paroles en ce moment si particulier.

Ces paroles, dit alors le pape Jean-Paul II, *ont été un appel et une invitation à prier pour le nouveau pape, appel exprimé en langue polonaise.*

> *J'adresse le même appel à tous les fils et toutes*
> *les filles de l'Église catholique. Souvenez-vous de*
> *moi aujourd'hui et toujours dans vos prières.*

Reprenant en langue française, le pape ajouta :

> *Je compte sur votre soutien. J'espère que les sen-*
> *timents de bienveillance qui me sont réservés*
> *contribueront aux efforts engagés pour la paix*
> *du monde.*

Puis il s'adressa en anglais aux fidèles réunis place Saint-Pierre, auxquels il exprima l'espoir que les barrières des divisions puissent être levées.

En langue allemande, le pape évoqua sa récente visite en R.F.A., où il put constater à quel point la vie des catholiques allemands était profonde.

En espagnol, puis en portugais, le pape adressa ses affectueuses salutations, évoquant les sentiments des deux pays à l'égard de la Vierge Marie.

Le pape prononça également quelques paroles en ukrainien, avant d'achever son homélie.

> *J'ouvre mon cœur à tous les frères des Églises et*
> *des communautés chrétiennes, en vous saluant*
> *d'une façon particulière, vous qui êtes ici pré-*
> *sents, et en attendant de vous rencontrer per-*
> *sonnellement tout prochainement. Mais, dès*
> *maintenant, je vous exprime ma vive satisfac-*
> *tion pour avoir voulu assister à cette cérémonie*
> *solennelle.*

Et je m'adresse encore à tous les hommes, à chaque homme, et avec quelle vénération l'apôtre du Christ ne devrait-il pas prononcer cette parole : Hommes, priez pour moi, aidez-moi, afin que je puisse vous servir !

Une nouvelle ère

Lorsque la messe prit fin, Jean-Paul II s'avança devant l'autel pour donner sa bénédiction, mais plutôt que de prendre ensuite le chemin pour rentrer, il rompit avec le protocole et descendit sur la place où il s'approcha des malades qu'il bénit, puis il se tourna vers le secteur polonais où il salua des compatriotes et quelques connaissances. Pendant ce temps, la garde papale s'inquiéta, non sans raison : la foule était subjuguée par cet homme nouveau et elle voulait l'approcher, les cordons de sécurité ne résistèrent pas. Prisonnier de la foule, Jean-Paul II bénit et bénit encore, saluant de la main, caressant des épaules, des têtes, donnant même quelques embrassades et allant jusqu'à répondre aux acclamations de la foule.

Toutes les règles de l'étiquette furent enfreintes en quelques minutes à peine. Cela dépassait l'entendement.

Jean-Paul II, néanmoins fort conscient de ce qu'il faisait, savait passer outre aux règles établies, mais des règles qui ne semblaient pas essentielles à ses yeux : il agissait ainsi pour être et rester lui-même et rejoindre tous ces gens venus lui rendre hommage. C'est avec grand-peine qu'il parvint à s'arracher de la foule.

La cérémonie avait duré quatre heures !

Ce n'était pas encore terminé, puisque le pape apparut peu après à la fenêtre de son appartement – il ne devait que bénir la foule, mais il décida d'y réciter l'Angélus. Lorsqu'il regagna ses appartements, il ne put s'empêcher de revenir trois fois à la fenêtre afin de saluer la foule qui n'en finissait plus de l'applaudir.

À compter de ce jour, il se consacrera exclusivement à ses nouvelles obligations, travaillera sans répit et accordera audience après audience.

Le Saint-Père à Saint-Domingue, dans la *papamobile*
(25 janvier 1979).

Aéroport de Cracovie. Visite historique de Jean-Paul II
en Pologne, après son intronisation (juin 1979).

Jean-Paul II en visite au siège de l'ONU à New York et se rendant à la cathédrale Saint-Patrick (2 octobre 1979).

Sa Sainteté rencontre à Paris le Grand Rabbin de France, M. Jacob Kaplan (2 juin 1980).

Le Saint-Père à Manille (Philippines), bénissant les fidèles
de l'Église Baclaran (17 février 1981).

Jean-Paul II quittant la résidence du nonce apostolique,
dans la banlieue de Londres (29 mai 1982).

Sa Sainteté, entourée de l'archevêque anglican de Canterbury,
Dr Robert Runcie (à gauche) et du métropolite Anthony de
Sourozh, de l'Église orthodoxe russe (à droite), à l'occasion d'une
cérémonie à la cathédrale de Canterbury (29 mai 1982).

Jean-Paul II, dans sa résidence d'été de Castel Gandolfo,
recevant Mère Teresa, de Calcutta (août 1982).

Sa Sainteté accordant une audience à Yasser Arafat,
président de l'Organisation de libération de la Palestine
(Vatican, 15 septembre 1982).

Jean-Paul II avec le Dalaï-Lama, au Vatican
(septembre 1982).

Pour la première fois, un pape se rend à la Scala de Milan (mai 1983).

Le chef du gouvernement polonais, le général W. Jaruzelski, reçoit Sa Sainteté à l'occasion de son second voyage en Pologne. Dans l'entourage du Saint-Père, on reconnaît le cardinal Glemp, primat de Pologne, ainsi que Mgr Casaroli, secrétaire d'État du Vatican (à droite) (juin 1983).

Le Saint-Père en pèlerinage à Lourdes (France), recueilli devant
la grotte miraculeuse de Massabielle, où Bernadette Soubirous
a vu la Vierge (15 août 1983).

Visite de Jean-Paul II au stade Gerland à Lyon (France),
le 5 octobre 1986.

Sa Sainteté à Florence, devant le *David* de Donatello,
à sa sortie du Palazzo Vecchio (19 octobre 1986).

Jean-Paul II accueilli par Lech Walesa, président de la Pologne, à l'occasion de sa quatrième visite à son pays natal (1er juin 1991).

Le Saint-Père lors de sa visite au Canada.

LE PÈLERIN VOYAGEUR

Pie XII, qui régna sur l'Église de 1939 à 1958, ne voyagea pour ainsi dire pas : ses seuls déplacements le conduisirent à Castel Gandolfo, une propriété pontificale qui devint d'ailleurs, sous sa papauté, la résidence d'été des papes. Jamais, toutefois, il ne se rendit en terre étrangère. Les pérégrinations de son successeur, le pape Jean XXIII, furent également fort limitées : il ne visita, en automobile, que quelques abbayes et sanctuaires voisins.

En fait, pendant quatre cent cinquante ans, aucun pape ne s'était aventuré hors du Vatican. Paul VI allait être le premier pape à voyager ; il commença par un coup d'éclat, en 1964, en se rendant en pèlerinage en Terre sainte. Toutefois, même s'il mérita le surnom de « pape pèlerin », Paul VI ne visita que neuf pays en quinze années de pontificat, ne s'éloignant jamais très longtemps de Rome. Vers la fin de son règne sur le trône de Pierre, dans les

années soixante-dix, il cessa d'ailleurs progressive-
ment de voyager en raison de son âge avancé et de
son état de santé défaillant.

Les quelques semaines de règne de Jean-Paul Ier
ne lui permirent pas de mettre en œuvre ses projets.

Jean-Paul II imprimera un sens et un dynamisme nouveaux à la papauté. Ce marcheur à l'énergie indomptable reprit le flambeau, mais dans un
style bien différent. Ainsi, moins de cent jours –
96 jours exactement – après avoir changé son nom
de Karol Wojtyla pour celui de Jean-Paul II, il quitta
le Vatican pour se rendre en République domini-
caine, en janvier 1979, où fut célébrée, comme il le
souligna lors de sa première homélie, la première
messe sur le continent nord-américain lors du second voyage de Christophe Colomb en 1493. Après
un court séjour dans cette île des Antilles, il se rendit au Mexique où il inaugura alors la Conférence
des évêques d'Amérique latine.

Dès lors, quatre fois par an, Sa Sainteté bouclera
ses valises et partira sillonner le monde. Après le succès prodigieux de ce premier voyage, Jean-Paul II
visitera la Pologne, les États-Unis, la Turquie, l'Afrique, la France, le Brésil, l'Allemagne de l'Ouest, l'île
de Guam, les Philippines et le Japon.

Cependant, malgré l'opinion de certains cardinaux et de certains membres de la curie, tout en
assumant ses responsabilités de chef de l'Église,
Jean-Paul II n'en continua pas moins de s'occuper
de son diocèse de Rome, remplissant avec rigueur

les devoirs qui lui étaient dévolus, particulièrement ses rencontres avec les fidèles qui se rendaient quotidiennement place Saint-Pierre dans l'espoir de le voir, sinon de l'entrevoir.

Le 13 mai 1981

Le 13 mai 1981, Jean-Paul II était à Rome et il ne fit pas exception à sa promenade dans la foule. Mais celle-ci serait bien différente des précédentes – cet événement mérite d'ailleurs quelques paragraphes.

Ce jour-là, la foule était moins nombreuse que d'ordinaire place Saint-Pierre ; les pèlerins avaient donc pu se rapprocher plus facilement des barrières qui délimitaient le parcours que le pape allait emprunter. Le visage détendu, affichant une attitude chaleureuse, Jean-Paul II apparut à bord de sa *papamobile.* Il fit une première fois le parcours sous les vivats et les applaudissements de la foule, se rendant jusqu'à l'obélisque, le contournant et réempruntant le même chemin mais, cette fois, en sens inverse. Quatre détonations retentirent au moment où il parvenait à la hauteur de la porte centrale du Vatican.

Il fallut quelques secondes avant que chacun, autant les fidèles que la garde papale, ne comprenne que ces détonations étaient des coups de feu. Personne n'aurait jamais pu imaginer que le pape puisse être victime d'un attentat. C'était pourtant le cas. Dans la *papamobile,* le Saint-Père tituba, chancela et s'écroula finalement dans les bras d'un de ses aides qui se tenait à ses côtés ; une tache rougeâtre macula sa soutane blanche et ne cessa de s'agrandir.

Après un bref instant de stupeur, le chauffeur de la Jeep blanche démarra sur les chapeaux de roues et se rendit près des colonnades où est garée en permanence une ambulance qui sert habituellement à transporter les fidèles victimes de malaises. Sitôt la voiture arrêtée, un médecin s'approcha du Saint-Père et constata la gravité des blessures ; son aide prit alors sur lui de partir immédiatement vers l'hôpital, non seulement à cause de l'état du pape, mais aussi afin d'éviter que la situation ne s'aggrave. À ce moment-là, la confusion la plus totale régnait encore place Saint-Pierre.

Lorsque Jean-Paul II arriva à l'hôpital Gelli, de Rome, là où il avait toujours dit vouloir être conduit si les circonstances l'y obligeaient, on était déjà averti des événements. Malgré le peu de temps dont le personnel de l'hôpital avait disposé, les différents services étaient déjà sur un pied de guerre. À peine eut-on sorti de l'ambulance la civière qui transportait le Saint-Père, qu'il était emmené au dixième étage où était située la chambre qui lui était réservée, selon un plan d'intervention préétabli. Puis on le redescendit sans tarder au bloc opératoire.

Le Saint-Père était victime d'une hémorragie interne – on estima qu'il avait perdu près de trois litres de sang – et avait des lésions principalement à l'intestin grêle et au côlon, mais aucun organe vital n'était atteint.

Entre le moment où il fut admis en salle d'opération et celui où il fut transporté à la salle de réanimation, il s'écoula cinq heures. Cinq longues heures pendant lesquelles les événements se précipitèrent à l'extérieur de l'établissement hospitalier. Par exemple, au moment où la *papamobile* quitta en trombe le lieu du drame, les policiers de faction se déployèrent et n'eurent aucune peine à identifier le tireur et à le maîtriser. La foule, quant à elle, céda à l'étonnement, à la consternation puis à la douleur. Surtout, on ne quitta pas la place Saint-Pierre : on restait dans l'attente de nouvelles sur cette malheureuse tragédie qui venait de se dérouler.

Bien plus tard, après cinq longues heures au cours desquelles les médecins intervinrent, un prêtre vint annoncer à la foule, grossie par l'arrivée massive d'autres personnes informées de la tragédie par la radio, que le pape était hors de danger. Pendant toute cette attente, des bribes d'informations, transmises par les radios et rapportées par les nouveaux arrivants, circulaient parmi la foule : le tireur était turc, un extrémiste de droite, il aurait déjà tué. Ses motifs restaient toutefois obscurs. La foule ne quitta finalement la place Saint-Pierre que lorsque la nuit fut tombée et qu'il devint évident qu'aucune autre information ne serait donnée.

Pendant ce temps, la nouvelle continuait de tomber sur les téléscripteurs des agences de presse du monde entier, qui la communiquaient aussitôt aux médias qui, à leur tour, interrompaient leurs émissions pour en faire l'annonce ; les quotidiens refaisaient leur première page et préparaient de nouveaux articles. Tout de suite des visiteurs, cardinaux, archevêques, membres du gouvernement italien – premier ministre en tête – rejoignirent l'hôpital ; quelques heures plus tard, les télégrammes commencèrent à affluer – sans parler, bien entendu, de la foule de curieux qui était massée devant l'hôpital.

Jean-Paul II resta en salle de réanimation pendant cinq jours ; cependant, quelques heures à peine après l'intervention, il recevait le premier ministre italien – il devait, plus tard, confier qu'il ne s'était plus souvenu, le lendemain, de cette visite. Dès les premiers instants, il prononça des paroles de pardon, et appela pour la première fois son assassin, son frère. Dès ce premier jour, aussi, il insista pour communier ; le jour d'après, il concélébrait la messe dans sa chambre avec quelques visiteurs. Le jour suivant, il récitait l'Angélus. Une semaine après la longue intervention qu'il avait subie, il prenait son premier repas dans sa chambre du dixième étage.

Rapidement, son état de santé s'améliorant, Jean-Paul II se remit à vaquer aux affaires de l'Église ; ses proches collaborateurs le rencontraient dans sa chambre d'hôpital où ils le mettaient au fait des principaux dossiers et prenaient ses directives. Ils lui apportaient également sa correspondance, dont il prenait connaissance avant de dicter ses réponses et d'apposer sa signature au bas des lettres. Au fil des jours, l'amélioration de son état de santé fut telle que les médecins acceptèrent qu'il regagne le Vatican où l'on croyait qu'il s'imposerait une convalescence. Mais il se dépensa trop et, à la mi-juin, il fut victime d'un virus plutôt rare, nommé cytomégalovirus. Six semaines furent nécessaires aux médecins pour guérir le Saint-Père. Quelques semaines plus tard, le 5 août plus précisément, il subit une deuxième intervention qu'on avait décidé de retarder le plus longtemps possible, afin qu'il refasse ses forces. Le 14 août il revenait finalement au Vatican pour, quelques jours plus tard, se rendre à Castel Gandolfo où il se reposa quelques semaines avant de reprendre ses activités normales au Vatican.

D'autres voyages

Lorsqu'il fut complètement remis de ses blessures, le Saint-Père recommença aussitôt à voyager. Sa première destination fut le Portugal. Puis il y eut l'Angleterre, l'Irlande, la Suisse, l'Espagne, l'Amérique centrale, la Pologne à nouveau, la France, la Corée du Sud, la Nouvelle-Guinée, la Thaïlande, l'Australie, le Sri Lanka, l'Argentine, le Canada, bien entendu, mais aussi d'autres pays qu'il serait trop long d'énumérer et qui donneraient à penser à un atlas.

Il convient toutefois d'accorder quelques lignes supplémentaires à la visite que fit le Saint-Père au Canada, en septembre 1984 – il en était alors à son vingt-cinquième voyage.

Lorsqu'il descendit de l'avion d'Alitalia, aux armoiries papales, le 9 septembre 1984, il n'arrivait pas en territoire inconnu, puisqu'il était déjà venu au Canada en 1969, lors de son premier voyage outre-mer. Conformément au protocole, c'est à

Québec, siège du plus ancien diocèse du pays, qu'il arriva pour un séjour de onze jours, qui devait le mener de Terre-Neuve à la Colombie-Britannique : onze jours, sept provinces et onze villes, un itinéraire bien rempli – il ne prononcera pas moins de quarante homélies et allocutions à l'occasion de rencontres publiques importantes. Il passa deux jours à Québec, y célébra deux messes, se rendit à la basilique de Sainte-Anne-de-Beaupré, et prit le train pour Trois-Rivières, où il visita le sanctuaire national du Cap-de-la-Madeleine où il célébra une messe devant près d'une centaine de milliers de fidèles. Il mit ensuite le cap sur Montréal et dit une messe au parc Jarry (qui fut d'ailleurs baptisé pour un temps le parc Jean-Paul II, avant que les autorités municipales ne cèdent à la demande populaire et ne lui redonnent son nom de parc Jarry). Il présida aussi à un immense rassemblement au Stade olympique.

D'autre part, les arrêts du Saint-Père à Québec, Saint-Jean, Moncton, Halifax, Toronto, Winnipeg, Edmonton, Vancouver et Ottawa furent couronnés de tout autant de succès.

Proche du monde

Ce séjour donne une idée de l'agenda qui fut celui de Jean-Paul II au cours de ses différents périples. On retiendra par ailleurs que pendant son pontificat, Jean-Paul II aura ainsi parcouru plus de 800 000 kilomètres, soit près de vingt fois le tour de la Terre, et qu'il aura visité l'Afrique, parcouru l'Amérique du nord au sud, sillonné l'Europe, vu l'Asie et l'Océanie.

Jean-Paul II a toujours accordé une grande importance aux voyages car il les considérait d'abord et avant tout comme une réponse au Christ, qui avait dit à ses apôtres d'aller et de prêcher dans toutes les nations du monde. Car, après tout, ces voyages ont toujours été l'occasion pour lui d'établir des liens plus profonds, plus étroits, avec les catholiques de toutes tendances, de même qu'avec les non chrétiens. Il convient de souligner que l'un des premiers voyages officiels de Jean-Paul II se fit à Istanbul – autrefois nommée Constantinople – berceau de l'Église orientale orthodoxe et souvent présentée comme une « seconde Rome » ; il fut le premier souverain pontife à s'y rendre en mille ans et à y célébrer une messe avec Dimitrios Ier, patriarche de l'Église orientale. En Afrique, il rencontra l'archevêque de Canterbury. Il se rendit même en Angleterre, où aucun pape n'avait mis les pieds depuis que le roi Henri VIII s'était emparé des monastères ; il reçut également la reine Élisabeth II – chef de l'Église d'Angleterre – au Vatican. Il s'entretint avec des chefs de l'Église luthérienne, des docteurs de la Loi juive et lança un appel pour une plus grande entente et une meilleure compréhension entre chrétiens et musulmans.

Toutefois, lors de son récent voyage en France, à la mi-septembre 1996, la controverse entoura les déplacements du Saint-Père. En effet, la date retenue pour la commémoration du 1 500e anniversaire du baptême de Clovis, roi des Francs, soit le 22 septembre, correspondait à la date de la fondation de la Ire République française laïque et à la séparation de l'Église et de l'État en 1792. Pour désamorcer la crise annoncée, le pape contourna finalement le sujet, pourtant à l'origine de sa venue en France, en quelques mots : « *Voici quinze siècles, le roi des Francs, Clovis, reçut ce sacrement. Son baptême eut le même sens que tout autre baptême. Ses compatriotes baptisés avec lui devinrent membres du peuple de Dieu, l'Église.* » Par ces quelques mots, le pape reconnaissait qu'il s'agissait du baptême d'individus et non pas celui de toute une nation.

Les manifestations, notamment à Paris, n'eurent pas le retentissement attendu. À peine 5 000 laïcs défilèrent dans la capitale française, de la place de la République à la Bastille.

Mais ce qui irrita surtout une partie de la population française fut le financement de la visite papale avec des fonds publics, montant évalué entre trois et cinq millions de dollars canadiens. Selon un sondage du *Parisien libéré*, 51 % des Français émirent des réserves sur l'action du pape.

Malgré toutes ces difficultés, Jean-Paul II chercha toujours à propager sa mission d'unité, de rapprochement de l'Église avec ses fidèles.

UN HOMME DE SON SIÈCLE

Le succès qu'obtenaient les communications de Jean-Paul II, il le devait, en grande partie, à sa personnalité, à son magnétisme et à son charisme. C'était un homme chaleureux, dont la spontanéité plaisait à quiconque le rencontrait et discutait avec lui. Et si les foules accouraient par centaines de milliers pour le voir et l'entendre, elles comprenaient d'abord et avant tout le message de sa personne.

« Elles reconnaissent le mystère de la vocation de leur pasteur », écrivait monseigneur Blanchet, évêque de Gaspé, en 1984, avant de préciser, plus loin dans le même texte : *« Bien sûr, la vision du monde de Jean-Paul II porte l'empreinte culturelle de son pays. Mais si son ‹ conservatisme › était plus moderne qu'on ne le croie ! En effet, au moment de son arrivée au pontificat, il connaissait bien la requête de nombreux*

*chrétiens et chrétiennes en faveur d'une réaf-
firmation claire des principes doctrinaux et des
valeurs morales. Requête suspecte à ceux et celles
qui craignent d'inutiles restrictions à la liberté
ou qui n'aiment pas les* leaders *forts. À sa manière, le* leadership *de Jean-Paul II rejoint ce*
sensus fidelium. *Et n'oublions pas que nos sociétés, après avoir privilégié pour un temps les
valeurs du changement, recherchent davantage
maintenant les valeurs de la durée.* »

Ce *leadership* et cette affirmation claire des
principes doctrinaux et des valeurs morales, il les
affirmait déjà dans les trois premières encycliques –
Rédempteur de l'homme, Riches dans la miséricorde
et *Le travail de l'homme* – qu'il composa au cours
des six premiers mois de son règne. On retrouvait
également les mêmes dix-sept ans plus tard, dans
ses deux dernières, *L'Évangile de la vie* et *Qu'il soit
Un.* Jamais Jean-Paul II n'a dévié de cette route qu'il
s'était fixée, pas plus qu'il ne s'est laissé prendre au
piège du vedettariat, lui dont on a pourtant fait des
bandes dessinées sur sa vie et ses enseignements et
dont on a même chanté la popularité sur un disque
qui grimpa rapidement à la tête des palmarès d'Europe.

Mais ces dernières années, et plus encore ces
derniers mois, la fiche médicale du souverain pontife apparut comme un fardeau difficile à dissimu-
ler. Il y eut toujours cette main tremblante, séquelle
de l'attentat dont il avait été victime en 1981 et qui

avait provoqué des dégâts au réseau nerveux ; il y avait eu cette infection virale contractée à la suite d'une transfusion ; il y avait eu cette intervention pour l'ablation d'une tumeur à l'intestin en 1992 ; il y avait eu, aussi, une hospitalisation pour une luxation à l'épaule droite et, enfin, cette fracture du col de fémur en 1994, remplacé par une prothèse et qui, depuis, le faisait claudiquer.

En dépit de ses capacités de récupération et de ses années de sport – soccer, canoë, bicyclette, ski, natation, sans oublier les randonnées pédestres – le Saint-Père a vieilli brusquement, à la suite du dernier incident. Pendant plusieurs mois le pape aura dû partager la condition des personnes de son âge, en étant obligé de renoncer aux programmes traditionnellement bien remplis de ses déplacements : il boitait d'une manière ostensible et devait marcher à l'aide d'une canne.

À partir de ce moment, la télévision, une de ses meilleures alliées d'hier, devint presque son adversaire. Mieux qu'aucune encyclique, elle avait popularisé son image de missionnaire des temps modernes et de pape voyageur, et servi le projet de son pontificat – qui pourrait se définir comme le renforcement de l'identité de la papauté et du catholicisme – et de la pire façon elle trahit, au cours de ces derniers mois, son âge et sa condition, ses signes de fatigue, ses rictus de douleur, sa claudication.

Malgré cela, et surtout pour faire taire ceux qui évoquaient une fin de règne et commençaient à spéculer sur sa succession, Jean-Paul II refusa de baisser les bras et continua de porter son message à travers le monde, indiquant clairement dans ses derniers voyages, malgré sa santé précaire et avec la publication de deux encycliques en quelques mois, en 1995, qu'il n'entendait pas renoncer à sa mission de pasteur universel.

Il avait alors soixante-quinze ans, l'âge de la retraite obligatoire pour tout évêque, mais cela n'avait aucune signification pour lui, qui semblait décidé à atteindre le troisième millénaire de la naissance du Christ.

Au cours de l'année 1996, la question de la santé du Saint-Père est demeurée dans les esprits des fidèles. En effet, depuis la mi-août 1995, les alertes se multiplient.

On se souvient que durant les quatre premiers mois de l'année 1996, le Saint-Père a ressenti de nombreux malaises, le forçant à remettre des audiences et des déplacements. On dit également que dans la nuit du 12 au 13 août 1996, Jean-Paul II aurait eu une violente crise l'obligeant à passer un scanner. Cet examen médical a bien entendu nourri les rumeurs de réapparition de tumeurs cancéreuses à l'intestin, car il avait déjà subi une opération pour ce problème en 1992.

D'ailleurs, plusieurs observateurs se sont demandé si le pape ne serait pas obligé d'annuler son voyage en Hongrie les 6 et 7 septembre 1996. Lors de cette visite, il a cependant été contraint d'alléger son horaire et même d'interrompe un discours pour le faire terminer par un assistant. Les rumeurs ont été relancées de plus belle et cela a, bien évidemment, jeté un voile de doute sur la visite de quatre jours prévue en France à la mi-septembre. À ces interrogations concernant son état de santé, le pape aurait semble-t-il répondu qu'il viendrait, s'il le faut, en civière !

Karol Wojtyla est âgé de 76 ans et semble complètement épuisé. Les médicaments qu'il doit prendre semblent également lui causer de fréquentes périodes d'absence. Le tremblement qui secoue sa main gauche n'est pas non plus passé inaperçu et un porte-parole du Vatican s'est vu dans l'obligation de confirmer que le pape souffrait d'un début de maladie de Parkinson.

De plus, une autre intervention chirurgicale est prévue pour le 6 octobre ; il s'agit cette fois de remédier à une appendicite chronique, selon le communiqué officiel, alors que tout le monde est d'avis qu'une appendicite s'opère d'urgence, pour éviter la péritonite. Le communiqué officiel n'a donc convaincu personne et les raisons de cette opération demeurent mystérieuses.

Le voyage en France a donc été placé sous haute surveillance, les quelque mille journalistes couvrant cette visite guettant le moindre signe de défaillance. Finalement, malgré un programme très chargé, le pape est parvenu à réaliser tous les déplacements prévus et a même donné rendez-vous aux Français en août 1997 pour la Journée mondiale de la jeunesse.

Les éditorialistes et journalistes qui s'intéressent à l'analyse des questions religieuses n'ont pas manqué, eux non plus, de parler de la condition du Saint-Père. Ainsi, l'un d'eux écrivit, à l'été 1995 :

> « *Il n'y a que deux manières de gérer une fin de règne pontifical. La première est de se résigner à cette loi de l'âge ou de la maladie et d'en faire un témoignage de souffrance pour le monde et l'Église. Cela s'était terminé en catastrophe avec Pie XII (mort en 1958), pris de visions mystiques et devenu l'otage de sa gouvernante. Paul VI aussi sombra dans une sorte d'immobilisme mélancolique, allant jusqu'à proposer sa vie en échange de celle de son ami Aldo Moro retenu et assassiné par les Brigades rouges au printemps 1978. Il mourut au mois d'août suivant.* »

> « *L'autre méthode, celle de Jean-Paul II, ignore ces contraintes de l'âge et de la fatigue. Il n'entend pas rester sédentaire et continue de faire son métier de pape comme il l'a toujours fait* [...] »

Cela résume bien l'esprit qui a animé Jean-Paul II jusqu'à la toute fin.

ÉVÊQUE DE ROME
ET PASTEUR UNIVERSEL

Ce style nouveau qui lui appartenait, en voyageant comme aucun pape ne l'avait fait auparavant, portant lui-même son message aux fidèles de son Église, ce style nouveau aura toutefois distingué Jean-Paul II de ses prédécesseurs. De nombreuses personnes n'auront pas manqué de le souligner, à commencer par Monseigneur Paul Grégoire qui, dès 1984, disait :

> « Le 264ᵉ successeur de l'apôtre Pierre, Jean-Paul II, est d'abord un pasteur. À temps et à contretemps, il annonce l'Évangile. Il le fait avec fierté, sagesse et fermeté. Il le fait sans compromission. Personne n'en doute : ce pape venu de l'Est ne transigera jamais avec le message de Jésus-Christ, il ira jusqu'au bout du monde. Et, s'il le faut, il risquera sa vie. »

Quelques années plus tard, en 1987, le cardinal Paul-Émile Léger, une figure incontournable de notre Église, dira :

> « *Il est heureux que tant de gens puissent voir le pape et l'entendre. On sent, chez lui, qu'il y a présentation du message, souci du mystère, mais il n'y a pas de tactique d'embrigadement, d'appel à une adhésion formelle. Il laisse une grande marge de liberté tout en rappelant l'essentiel. Dans vingt ans, on dira qu'il avait raison.* »

Si cela était vrai hier, ce l'était encore aujourd'hui. En avril 1995, Gilles Langevin, membre du bureau de théologie de la Conférence des évêques catholiques du Canada, faisait une analyse de l'encyclique *L'Évangile de la vie*, qu'il concluait ainsi :

> « *On sort de ce texte comme on sort d'une symphonie ou d'une cathédrale. L'hymne à la joie est devenu ici l'hymne à la vie et à l'amour. On est en face d'une œuvre longuement mûrie, fruit de la méditation de toute une vie de la part du pape et de la collaboration des évêques du monde entier, tous consultés personnellement. C'est une œuvre approfondie où tous les éléments d'une réflexion sur la dignité et l'inviolabilité de la vie humaine trouvent leur place, leur ordre et leur équilibre. C'est « le plus pressant des appels » aux personnes et aux institutions pour que la vie de l'homme, surtout la vie des plus démunis*

d'entre nous, soit protégée et servie ; l'appel parle essentiellement de générosité, d'accueil et de solidarité. Ce texte est parcouru par un souffle de compassion, de conviction, de courage et d'audace, qui laisse une impression de fraîcheur, une fraîcheur, oserons-nous dire, de commencement du monde. »

Cette pastorale et ce style mis de l'avant par le pape Jean-Paul II, ajouté à ses innombrables périples à l'étranger, lui ont fait imprimer, comme nous l'avons déjà souligné, un dynamisme nouveau à l'Église et dans l'Église. Et si celui-ci lui a permis d'assurer une plus grande diffusion à l'Évangile, il lui a également permis de faire connaître la position de l'Église sur de nombreux sujets. En ce sens, ses pèlerinages, au travers les homélies, prières et conversations qu'il tint et prononça, ont donc tout autant servi à nous faire connaître l'Église qu'à nous le révéler lui-même.

Certes, nombreux sont ceux qui lui ont reproché de voyager, mais ne l'eût-il pas fait qu'on lui aurait reproché son indifférence vis-à-vis des fidèles de son Église. Jean-Paul II était-il au fait de ce dilemme, évêque de Rome ou pasteur universel ?

« La mission du successeur de Pierre, disait-il, et son service de caractère universel s'enracinent profondément dans sa charge d'évêque de Rome, qui préside en tant que tel l'assemblée de toute l'Église et le collège fraternel des évêques. Je considère donc

depuis le début que le devoir primordial de Pierre est d'être évêque de Rome. Se sentir évêque de cette communauté concrète et agir si possible en personne comme évêque de cette Église particulière, cela me semble la condition impérative de toute autre initiative ou action à caractère universel. »

« *Je viens de dire : « autant que possible », inutile d'expliquer ces mots. Nul n'ignore qu'un pape a beaucoup à faire. Mais j'estime que sa première tâche est de rassembler le peuple de Dieu dans l'unité.* »

Il faut y entrer par la prière

Jean-Paul II avait incontestablement une vie active, un agenda bien rempli, une foule d'activités, mais tout cela – et, en ce sens, il s'inscrivait dans la lignée de ses prédécesseurs – était assujetti à la foi. Il précisa un jour :

« *Si ma vie passée et présente peut être qualifiée d'active, n'oublions pas que l'acte par excellence de chaque jour est la sainte messe qui constitue la synthèse la plus parfaite de la prière, le cœur de la rencontre avec Dieu dans le Christ. L'expérience de plus de trente ans de vie sacerdotale m'a appris que pour atteindre ce sommet, pour parvenir à cette synthèse et cette plénitude, il faut y entrer par la prière et en sortir vers la prière de la journée tout entière, sachant parfaitement que cette journée sera remplie à déborder d'activités et d'engagements de toutes sortes. Nul n'ignore que la journée du prêtre est liturgique, non seulement grâce à la messe mais aussi par la liturgie des heures, qui lui confèrent son rythme spécial. Dans l'ensemble, le travail prend plus de temps, mais toutes les activités doivent être enracinées dans la prière comme dans une glèbe spirituelle. L'épaisseur de cette glèbe ne doit pas être trop mince ni trop superficielle : l'expérience intérieure nous apprend à discerner les moyens de la former jour après jour afin qu'elle suffise. »*

Un chapitre ouvert

Si Jean-Paul II assumait pleinement ses devoirs d'évêque de Rome, il n'en acceptait pas moins ses responsabilités de missionnaire.

« Ce n'est pas moi qui ai ouvert le chapitre des voyages dans le cadre du service apostolique, disait-il. *Il l'a été, en réalité, par mes deux grands prédécesseurs, les papes de Vatican II, et surtout Paul VI. Mais déjà Jean XXIII avait laissé entendre que le pape ne doit pas seulement être visité par l'Église, mais qu'il doit lui-même la visiter. Ainsi, malgré ses quatre-vingts ans, il a fait le premier pas en ce sens en allant au sanctuaire Notre-Dame-de-Lorette, avant l'ouverture du concile. Quant à Paul VI, les voyages ont été au programme de tout son pontificat : je me rappelle encore avec quel enthousiasme les pères du*

concile ont appris son projet de pèlerinage en Terre sainte, à la fin de la deuxième session de l'assemblée. Il ne pouvait mieux commencer. »

« Ainsi donc ai-je trouvé déjà ouvert ce chapitre de l'histoire du ministère pontifical. J'ai été bientôt convaincu qu'il fallait lui donner une suite. Comment un pape relativement jeune et jouissant en général d'une bonne santé [note de l'auteur : le pape faisait ici référence au repos forcé dont il a été l'objet suite à l'attentat de mai 1981] *n'aurait-il pas assumé à son tour ce service d'Église, et suivi l'exemple donné par un pape octogénaire et un Paul VI déjà très âgé et de santé délicate ? »*

Les raisons profondes de ces voyages sont aussi, faut-il le souligner, d'une autre nature – comme le faisait également remarquer le Saint-Père. Tout au long de ses vingt années de vie épiscopale, avant qu'il ne soit élu pape, Jean-Paul II avait toujours accordé une importance particulière à visiter les paroisses dont il avait la responsabilité ; visites essentiellement destinées à aider les communautés à faire plus à fond l'expérience de l'unité chrétienne et à se retrouver, grâce à la présence de l'évêque, dans la dimension universelle de l'Église. Jean-Paul II fit également ressortir le fait que, pour les pasteurs, ces visites étaient aussi l'occasion et le moyen de se rapprocher de leurs fidèles et de rapprocher ceux-ci de leur Église.

« *Lorsque j'ai eu, en 1976, l'occasion de prêcher la retraite pascale au Vatican à l'invitation de Paul VI, j'ai parlé des visites de la paroisse comme une forme singulière de pèlerinage au sanctuaire du peuple de Dieu. J'ai retrouvé, pleinement confirmée, cette pensée dans la constitution* Lumen Gentium *[...]* »

Et Jean-Paul II d'ajouter que plus la vie des hommes et des familles, des communautés et du monde devient difficile, plus il juge essentiel que tous prennent conscience de la présence de ce pasteur ; mais pour en prendre conscience, il leur faut le voir, pouvoir l'approcher. Pour le souverain pontife, ses voyages autour du monde étaient précisément à l'image de ces pèlerinages dans les paroisses puisque, comme chef de l'Église, il avait la responsabilité des fidèles de l'Église du monde entier.

« *Si après Paul VI,* disait Jean-Paul II, *j'ai trouvé pour ainsi dire ce chapitre des voyages grand ouvert, je n'en ai pas moins continué de l'écrire en m'appuyant sur mes convictions personnelles, formées durant l'étape précédente de ma vie. Et ces conceptions du service épiscopal mises en pratique à Cracovie valaient aussi bien à Rome pour le ministère pontifical. Le développement des moyens de communication créait des conditions particulièrement favorables pour les appliquer, et le besoin auquel elles répondent s'était fait de plus en plus explicite. Il me semble même que la vie de l'Église postconciliaire a changé ce besoin en impératif, ayant valeur de commandement et d'obligation de conscience. »*

« Ainsi donc, ces pèlerinages que j'accomplis l'un après l'autre ont chacun leur importance propre ; chacun sert d'une certaine façon et dans une certaine mesure à réaliser le concile ; chacun exprime la foi en l'Église, devenue grâce à Vatican II particulièrement ouverte et prête au dialogue. Elle a acquis la conscience d'être l'Église du monde entier. Cette expression n'a sûrement rien de triomphaliste ; elle ne fait que souligner le rôle de servante qui est celui de l'Église, car partout et toujours elle sert la volonté de sauver du Père, du Fils et de l'Esprit saint. »

DE KAROL WOJTYLA À JEAN-PAUL II

Les dates importantes

1920

Karol Wojtyla est né le 18 mai à Wadowice, une petite ville située à proximité de Cracovie, dans une Pologne redevenue indépendante depuis dix-huit mois. Il est baptisé le 20 juin de la même année.

1929

L'année du décès de sa mère ; il a alors neuf ans.

1932

Son frère aîné, âgé de quinze ans, décède à son tour.

1938

Karol Wojtyla termine ses études secondaires en ayant fait preuve d'un grand talent pour l'étude des langues, anciennes et modernes, de même que pour la philosophie. Il est alors admis à l'université Jagellone de Cracovie, ville où il déménage avec son père.

1939

C'est le début de la guerre. La Pologne voit les forces d'occupation fermer les universités ; Karol Wojtyla s'inscrit alors aux universités clandestines tout en travaillant comme ouvrier dans une carrière, puis comme employé dans une usine d'épuration des eaux.

1941

Décès de son père.

1942

Toujours en travaillant, Karol Wojtyla s'inscrit au séminaire clandestin de théologie ; vers la fin de la guerre, il est invité par l'évêque de Cracovie à s'installer au palais épiscopal pour s'éviter d'éventuelles représailles.

1946

Le 1ᵉʳ novembre, Karol Wojtyla est ordonné prêtre et envoyé à Rome afin d'y poursuivre des études supérieures de théologie.

1948

Il revient en Pologne, présente sa thèse de doctorat et devient curé d'une paroisse de Cracovie, après un bref séjour à la tête d'une paroisse rurale.

1955-1958

Il publie quelques articles et quelques poèmes ; il prononce quelques conférences à l'université de Lublin avant de s'y voir offrir une chaire de morale. Il est consacré évêque.

1962-1967

Il est nommé archevêque de Cracovie.

Vatican II s'ouvre et Monseigneur Wojtyla participe activement à ses travaux ; il sera notamment membre d'une commission importante.

Il poursuit ses activités littéraires.

1967-1978

Paul VI le nomme cardinal ; il devient, de fait, le numéro deux de l'Église polonaise ; il intervient à de nombreuses reprises pour la défense des droits de l'homme et dénonce également les injustices dont sont victimes les catholiques de la part des autorités communistes.

En 1969, il se rend pour la première fois au Canada et aux États-Unis.

En 1971, commence son ascension romaine, alors qu'il participe au synode des évêques ; à celui de 1974, il est élu au Conseil du Secrétariat général.

Il effectue plusieurs séjours à l'étranger, notamment en Australie et dans certains pays de l'Asie du Sud-Est.

En 1976, il revient au Canada et effectue un voyage aux États-Unis.

En 1978, il se rend en Allemagne de l'Ouest.

1978
Paul VI meurt le 6 août ; le cardinal Luciani devient pape et prend le nom de Jean-Paul Ier.

Le 29 septembre, après 33 jours de règne, le nouveau Saint-Père est terrassé par une crise cardiaque.

Le 16 octobre, au terme d'un second conclave en l'espace de quelques mois, le cardinal Karol Wojtyla, alors âgé de 58 ans, est élu souverain pontife après huit tours de scrutin. Il choisit de prendre le nom de Jean-Paul II.

Jean-Paul II instaure un dynamisme nouveau à l'Église.

1981
Jean-Paul II est victime d'un attentat place Saint-Pierre, à Rome.

LE VATICAN : L'ASSURANCE VISIBLE DE L'INDÉPENDANCE DU PAPE

Qu'est-ce donc que le Vatican ? Peu de pèlerins et moins encore de touristes, dans l'euphorie de leur séjour à Rome, se posent la question. Ils écoutent le guide leur répéter que les palais du Vatican comptent près de 10 000 salles, 15 000 fenêtres et 997 escaliers. Mais certains s'interrogent néanmoins sur cette institution qui leur paraît parfois dépassée ou qui constitue un défi à la pauvreté. D'autres soulignent peut-être que le Vatican reste un symbole, efficace sans doute mais très contestable, d'une Église coupable de pouvoir, alors qu'elle devrait plutôt délaisser ces aspects pour ne plus être animée que par un souci de charité concrète et de justice à l'égard des pauvres et des opprimés.

On voit se profiler, dans ces critiques, l'ombre de la « diplomatie vaticane », d'autant plus décriée qu'elle reste plus discrète et, pour certains, le domaine réservé du souverain pontife régnant. Pourquoi donc, se demande-t-on, le Saint-Siège maintient-il des nonces dans les grandes capitales du monde ? Pourquoi donc plus d'une centaine d'ambassadeurs, représentant autant de pays, sont-ils accrédités auprès du Saint-Siège ? Pourquoi Jean-Paul II envoya-t-il en certaines occasions son secrétaire d'État afin de parler devant l'assemblée des Nations unies ?

Si ces questions sont irritantes pour certains esprits qui ne voient là que la survivance d'un pouvoir temporel, d'autres, en revanche, se félicitent de cet engagement apostolique qui s'insère au nœud des relations internationales, là où se joue, en définitive, le destin des peuples, où peuvent se défendre les droits de l'homme et où peut encore être sauvée une certaine liberté, sinon une liberté certaine. L'Église catholique pourrait-elle intervenir au nom de millions de croyants si elle ne disposait pas d'un minimum de souveraineté juridique qui lui donnât ainsi accès aux tribunes internationales ?

Un peu d'histoire

Le Vatican, qu'est-ce donc alors ? C'est d'abord, géographiquement, une colline de Rome, lieu de sépulture de l'apôtre Pierre que de minutieuses recherches archéologiques ont scientifiquement confirmé et, plus loin, « hors les murs », celle de Paul, les deux apôtres qui versèrent leur sang à Rome. Ce n'est toutefois qu'au XIVe siècle que les papes y résidèrent alors qu'ils étaient, sur le plan temporel, au VIIIe siècle, les maîtres d'une partie de l'Italie actuelle, laquelle formait alors ce qui était appelé les États pontificaux.

En 1870, les troupes piémontaises entraient dans la Rome pontificale, mettant fin à des siècles de pouvoir temporel des papes qui, dans des circonstances historiques données, avaient pu, par là, garantir l'indépendance et la liberté de l'Église face aux empiètements des pouvoirs civils et des empereurs.

De 1870 à 1929, le Saint-Siège, ou Siège apostolique de Rome, désignait, comme à l'origine, le pape et ceux qui étaient associés à son ministère d'évêque de la ville et de gardien de la foi et de l'unité entre les Églises ; sa souveraineté était essentiellement spirituelle et religieuse, s'étendant sur des millions de chrétiens qui reconnaissaient en l'Église de Rome une « primauté » d'honneur et de service.

Dès le début de son pontificat, le pape Pie XI voulut conclure la «Réconciliation » avec l'État italien ; il demanda simplement « *quelque souveraineté territoriale* » qu'il considérait comme indispensable à toute souveraineté spirituelle. Il fallait, en quelque sorte, donner au monde l'assurance visible de l'indépendance du pape par rapport à tout autre pouvoir, y compris celui de l'État italien.

Ainsi est né, par les Accords du Latran du 11 février 1929 (et ratifiés le 15 juin de la même année), le petit État de la cité du Vatican qui, comme tout État, frappe sa monnaie, fait flotter son drapeau, possède sa radio qui diffuse dans le monde entier en trente-trois langues, publie ses documents dans son imprimerie « La Polyglotte », qui recèle par ailleurs le plus grand nombre de caractères typographiques du monde, ses archives et sa riche bibliothèque.

Lieu de pèlerinage et de tourisme

Aujourd'hui, c'est par milliers – la moyenne quotidienne varie de 4 000 à 10 000 personnes – que les pèlerins et les touristes traversent la ligne de travertin clair qui, entre les colonnades du Bernin, marque la frontière entre deux pays : la République italienne et l'État de la cité du Vatican. Cette vague touristique afflue du matin au soir, de mois en mois, flot joyeux et bariolé qui s'insère dans la marée humaine venue là depuis des siècles pour baiser les pieds de la statue de marbre noir de saint Pierre qui porte l'usure de près de deux mille années de pèlerinage.

Dans la basilique, véritable salle des pas perdus où, là-bas, aurait dit un Paul Claudel si cher au souvenir de notre regretté cardinal Léger, se célèbre une messe sous l'énorme dais baroque d'anges de bronze et de colonnes torses, cette foule ne peut pas piétiner : l'édifice est trop vaste et chacun, selon ses goûts ou ses dévotions, s'exclame, commente, s'indigne ou médite. Des guides intelligents peuvent alors expliquer, à partir de l'architecture de Michel-Ange et surtout de la Statuaire, que « Rome ne s'est pas construite en un jour ».

La visite de la Basilique Saint-Pierre achevée, la seconde étape est presque toujours réservée aux célèbres musées qui s'imbriquent dans le palais apostolique, dont le troisième étage est réservé aux appartements du pape et à son secrétariat. Chaque année, pas moins de 1 500 000 personnes visitent les musées du Vatican où les murs parlent autant que les tableaux et les sculptures, et dont la garde est assurée par plus d'une centaine d'employés qui disposent d'un équipement technologique de pointe.

Certains jours, c'est un long piétinement d'une salle à l'autre. En hiver, la foule s'y retrouve le mercredi matin pour l'audience générale ; cette audience se tient dans l'immense salle dite de Paul VI, qui en avait demandé la construction à l'architecte Pier Luigi Nervi. Comme celui-ci s'inquiétait de savoir s'il pouvait, à côté de la Basilique Saint-Pierre, avoir l'audace d'entreprendre une œuvre ultramoderne, Paul VI répondit simplement : « *Osez !* » Ce fut une admirable réussite, tant sur le plan artistique que technique : la salle permet d'accueillir près de 7 000 invités assis ou 12 000 debout. Lorsque le pape arrive dans cette salle, des centaines d'éclairs d'appareils photo éclatent ; chacun veut avoir « sa » photo souvenir et s'ingénie, à la sortie, pour prendre celle d'un garde suisse de service.

Ces gardes, au nombre d'une centaine, proviennent de divers cantons de la Confédération helvétique ; ce sont de jeunes volontaires qui ont terminé, chez eux, leur « école de recrue » et qui, engagés pour deux ans, constituent la seule unité militaire de la cité du Vatican. Les autres corps pontificaux ont été supprimés en 1970 par Sa Sainteté Paul VI. Certes, les uniformes bariolés de bleu et de jaune chantent sous le ciel de Rome, mais il faut garder à l'esprit que ces gardes n'ont pas que des fonctions de parade : revêtus de leur tenue bleu sombre, ils contrôlent jour et nuit les quatre entrées du Vatican, cet état minuscule de 0,44 km^2 – qui tiendrait aisément sur le terrain du mont Royal.

LES PAPES DE NOTRE SIÈCLE

1903   Saint Pie X
De son vrai nom Giuseppe Sarto, né à Riese, en Italie, en 1835. En 1906, il condamna la rupture du Concordat par le gouvernement français. Peu favorable à la démocratie, il condamna le Sillon *en 1910. Mais son principal adversaire fut le modernisme, qu'il condamna en 1907 par le décret* Lamentabili *et l'encyclique* Pascendi. *Il rénova la musique sacrée (1903), favorisa la communion quotidienne et celle des enfants, réforma le bréviaire et fit opérer une refonte du droit canon. Il fut canonisé en 1954.*

1914   *Benoît XV*
De son vrai nom Giacomo della Chiesa, né à Pegli, près de Gênes, en Italie, en 1854. Pape pacificateur, il donna un élan nouveau aux missions et publia, en 1917, le Code du droit canonique.

1922   *Pie XI*
De son vrai nom Achille Ratti, né à Desio, en Italie, en 1857. Il signa de nombreux concordats, dont un avec l'Allemagne en 1933 et, avec le gouvernement italien de Mussolini, les Accords du Latran en 1929, qui rendaient au Saint-Siège son indépendance territoriale en créant l'État du Vatican. Il donna un vigoureux essor au clergé indigène et aux missions, et définit et encouragea l'action catholique spécialisée. Il condamna la fascisme italien, le communisme athée et le national-socialisme.

1939   *Pie XII*
De son vrai nom Eugenio Pacelli, né à Rome en 1876. Il fut élu pape après avoir occupé les fonctions de Secrétaire d'État de 1930 à 1939. Diplomate, mêlé très tôt aux affaires de la Curie, il s'intéressa de près à tous les aspects du monde moderne qu'il s'efforça de christianiser. Durant la Deuxième Guerre mondiale, il donna asile à de nombreux Juifs, mais certains lui reprocheront son « silence » officiel face aux atrocités nazies. Il eut une importante activité dogmatique et proclama notamment, en 1950, le dogme de l'Assomption de la Vierge.

1958   Jean XXIII

*De son vrai nom Angelo Giuseppe Roncalli, né à Sotto il Monte, en Italie, en 1881. Nonce à Paris puis patriarche de Venise et cardinal, il marqua son pontificat par l'*aggiornamento *(la mise à jour) de l'Église romaine et par la convocation du deuxième concile du Vatican en 1962. Il a promulgué plusieurs encycliques majeures, notamment* Pacem in terris, *en 1963.*

1963   Paul VI

De son vrai nom Giovanni Battista Montini, né à Concesio, en Italie, en 1897. Prosecrétaire d'État en 1952 et proche collaborateur de Pie XII, il fut nommé archevêque de Milan en 1954 et cardinal en 1958. En 1963, il succéda à Jean XXIII dont il approfondit l'œuvre réformatrice et d'abord au sein du IIe concile du Vatican, qu'il clôtura en 1965. Sa rencontre, en 1964, à Jérusalem, avec le patriarche Athénagoras illustra sa volonté de recherche œcuménique.

1978   Jean-Paul Ier

De son vrai nom Albino Luciani, né à Forna di Canale, en Italie, en 1912. Patriarche de Venise après 1969, il ne survécut que 33 jours à son élection au pontificat.

1978   Jean-Paul II

De son vrai nom Karol Wojtyla, né à Wadowice, en Pologne, en 1920. Nommé archevêque de Cracovie en 1964, il est le premier pape non italien depuis Adrien VI (1522-1523). Il a échappé, en 1981, à une tentative d'assassinat et imposé une personnalité vigoureuse à l'occasion de nombreux voyages à travers le monde.

TABLE DES MATIÈRES

Des mots d'espoir 7
Où l'avenir se joue 13
Lolek, l'enfant vivant 19
La futilité du matériel 29
Monseigneur Wojtyla, un *leader* audacieux 39
L'ascension romaine du cardinal Wojtyla 65
La croix de toutes les tensions et de tous
    les dangers 73
Le nouveau style de la papauté 81
Le pèlerin voyageur 111
Un homme de son siècle 121
Évêque de Rome et pasteur universel 127

Annexe 1
De Karol Wojtyla à Jean-Paul II :
les dates importantes 135

Annexe 2
Le Vatican : l'assurance visible de
l'indépendance du pape 139

Annexe 3
Les papes de notre siècle 145

imprimerie   gagné ltée

IMPRIMÉ AU CANADA